poissons & c

poissons & crustacés

Gee Charman

marabout

Publié pour la première fois en Grande-Bretagne en 2009 sous le titre *200 Fab Fish Dishes*.

Traduit de l'anglais par Constance de Mascureau.
Mise en pages : les PAOistes.

Pour l'éditeur, le principe est d'utiliser des papiers composés de fibres naturelles, renouvelables, recyclables et fabriquées à partir de bois issus de forêts qui adoptent un système d'aménagement durable. En outre, l'éditeur attend de ses fournisseurs de papier qu'ils s'inscrivent dans une démarche de certification environnementale reconnue.

ISBN : 978-2-501-06223-7
Dépôt légal : juin 2011
40.2112.7/01
Imprimé en Espagne par Impresia-Cayfosa

sommaire

introduction	6
apéro	16
soupes & plats mijotés	62
entrées & salades	82
pâtes, riz, lentilles...	120
plats principaux	152
barbecue	218
annexe	236

introduction

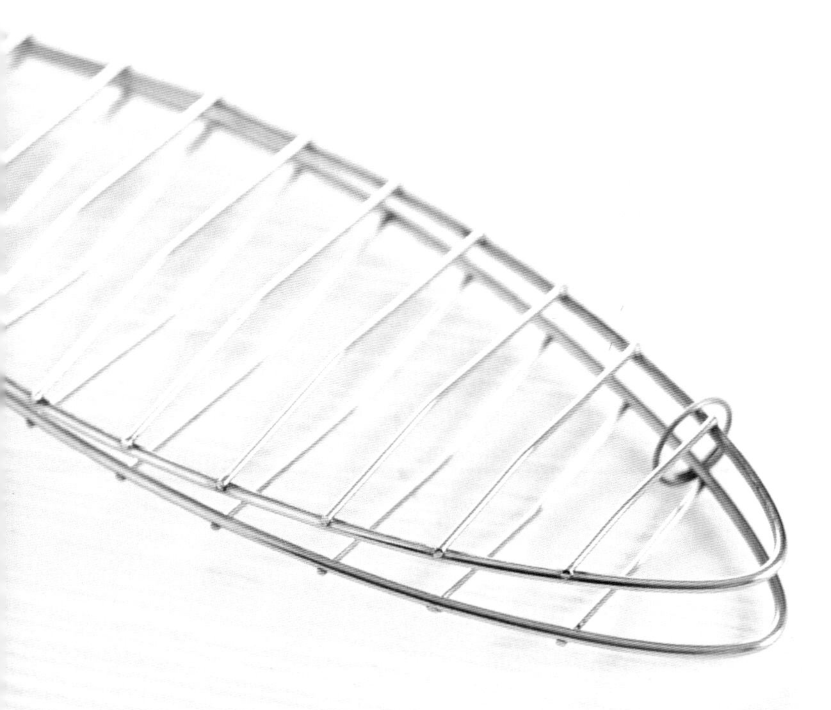

Il existe tellement de variétés de poissons et de fruits de mer sur le marché que si vous le vouliez, vous pourriez en manger une différente tous les soirs pendant plus de 1 mois ! Ceux qui sont employés dans les recettes de ce livre peuvent tout à fait être remplacés par d'autres. Vous pouvez choisir une espèce du même genre si vous n'appréciez pas celle qui est indiquée ou si vous n'en trouvez pas. Les poissons ronds à chair blanche, comme les bars, les mulets ou les rougets barbets, sont substituables entre eux. Au lieu d'un poisson plat comme le carrelet, vous pouvez prendre une dorade, une sole ou une limande-sole. Les grosses crevettes roses peuvent être remplacées par des crevettes tigrées, les coques par des moules ou des palourdes, et le saumon par de la truite ou de la truite de mer.

Dans la plupart des recettes, la préparation et la cuisson sont rapides, mais il faudra vous y prendre un peu à l'avance pour celles qui nécessitent une marinade ou une cuisson lente.

Ce livre est divisé en 6 chapitres – apéro, soupes & plats mijotés, entrées & salades, pâtes, riz, lentilles..., plats principaux et barbecue. Vous pouvez varier les quantités des ingrédients de façon à transformer des amuse-gueules en entrées, ou des entrées en plats principaux par exemple. Les recettes de barbecues peuvent être adaptées en cas de mauvais temps et réalisées avec un gril, un four ou une poêle très chaude.

acheter du poisson et des fruits de mer

Il y a quelques règles clés à respecter lorsque l'on achète du poisson et des fruits de mer. Achetez-les toujours frais car plus ils le sont, meilleurs ils sont, autant par leur saveur que par leur texture. Pour savoir si un poisson est frais, observez-le : il doit être brillant et recouvert d'une substance visqueuse transparente, avoir les yeux clairs et les ouïes vermeilles, et surtout, il ne doit pas sentir le poisson. Un poisson frais sent la mer !

Il est un peu plus difficile de juger si un poisson qui a déjà été levé en filets est frais, mais retenez que sa chair doit être ferme et sa peau brillante, et il faut aussi qu'il sente la mer.

La fraîcheur des fruits de mer est essentielle. Demandez toujours à votre poissonnier quand ils ont été pêchés – cela ne doit pas faire plus de 1 jour, 2 tout au plus.

Les moules, les palourdes et les coques doivent être achetées et cuites vivantes. Beaucoup de supermarchés vendent des fruits de mer emballés sous vide, ce qui les asphyxie. À éviter si possible.

une pêche responsable et durable

Durant longtemps, les mers du monde entier ont été touchées par la surpêche : diverses espèces ont été affectées au fil des années. Malheureusement, les conséquences de la surpêche se font encore sentir aujourd'hui.

Pour les recettes indiquant...	Vous pouvez aussi essayer...
Anchois	Sprats • Sardines • Petite friture
Bar	Saint-pierre • Turbot • Barbue
Cabillaud	Lieu jaune • Hoki • Haddock • Lieu noir • Merlu • Merlan (gros)
Calamar	Seiche • Poulpe
Carrelet	Sole • Limande-sole • Limande (grosse) • Flet
Crevettes	Noix de Saint-Jacques • Langoustines • Scampi
Dorade	Dorade rose • Rouget barbet • Vivaneau • Mulet
Écrevisses	Langoustines • Crevettes (grosses)
Espadon	Raie • Requin • Thon
Flétan	Barbue • Turbot
Haddock fumé	Hareng fumé • Cabillaud fumé
Hareng	Maquereau • Pilchard • Sardines
Lotte	Cabillaud
Maquereau	Sardines • Hareng • Pilchard
Maquereau fumé	Anguille fumée • Saumon fumé • Truite fumée
Merlu	Cabillaud
Palourdes	Moules • Huîtres • Coques • Couteaux
Perche	Saumon • Truite
Rouget barbet	Tilapia • Dorade • Bar
Sardines	Hareng • Pilchard • Maquereaux (petits)
Saumon	Truite • Truite saumonée • Truite de mer
Thon	Requin • Espadon • Bonite • Mahi-mahi
Truite fumée	Maquereau fumé • Anguille fumée
Turbot	Flétan • Barbue
Vivaneau	Dorade • Rouget barbet • Dorade rose • Mulet

Des lois sont désormais en vigueur dans la plupart des pays pour empêcher qu'elle se reproduise et pour permettre aux stocks de poissons appauvris de se reconstituer. La pêche irresponsable a non seulement un impact sur les stocks de poissons, mais c'est également une pratique cruelle : des espèces non ciblées se font prendre dans des filets et meurent dans l'eau, ou bien sont hissées sur des bateaux pour être rejetées ensuite dans la mer, blessées. Ainsi, assurez-vous de toujours acheter du thon portant le logo « Respecte les dauphins » (« Dolphin safe »).

Il est aujourd'hui indispensable que les consommateurs prennent eux-mêmes les choses en main et vérifient que le poisson qu'ils achètent est issu d'un approvisionnement responsable et durable. Si vous ne connaissez pas la provenance du poisson, alors abstenez-vous de l'acheter. Le poisson d'élevage de bonne qualité est très largement répandu et permet aux stocks naturels de se reconstituer. Il existe de nombreux sites internet qui, en détaillant les espèces de poissons menacées dans certains océans et mers, et celles que l'on peut acheter en sécurité, peuvent vous aider à consommer éthique.

Le poisson d'élevage a été victime d'une mauvaise presse ces dernières années, en raison du surpeuplement des bassins, en particulier dans le cas du saumon. Si vous achetez du poisson d'élevage, essayez d'en trouver qui provient d'élevages biologiques, car les bassins ont tendance à être moins densément remplis ; de plus, l'emploi de produits chimiques y est exclu, ce qui est évidemment meilleur pour la santé.

conserver le poisson

Le poisson peut être conservé au réfrigérateur 1 à 2 jours seulement, à une température de 1 à 5 °C. Sortez le poisson de son emballage éventuel, placez-le sur une assiette propre, recouvrez d'un torchon humide puis enveloppez de film alimentaire, sans serrer. La même méthode est valable pour les coquilles Saint-Jacques et les crevettes.

Il est difficile de garder les moules, les palourdes et les coques vivantes car elles s'asphyxient facilement. Si vous voulez conserver ces fruits de mer pendant la nuit, le meilleur moyen est de les mettre dans une passoire avec quelques glaçons ou de la glace pilée, puis de placer celle-ci au-dessus d'un récipient, au réfrigérateur. Remettez de la glace à mesure qu'elle fond.

Le poisson frais peut être congelé, bien que la congélation affecte légèrement sa saveur et sa texture. Si vous voulez congeler votre poisson, assurez-vous de l'acheter le plus frais possible. Enveloppez-le dans du film alimentaire et placez-le dans un sac plastique ou une boîte hermétique (cela réduit les risques de voir apparaître des brûlures de congélation), puis mettez-le au congélateur. Laissez décongeler le poisson au réfrigérateur, de préférence pendant la nuit, puis cuisinez-le le jour même. Le poisson décongelé peut être légèrement humide ;

essuyez-le avec du papier absorbant avant de le cuire. Ne recongelez jamais un poisson décongelé.

préparer le poisson et les fruits de mer

Préparer un poisson, le vider et l'écailler, peut être salissant. Demandez à votre poissonnier de faire le travail pour vous, et de lever aussi les filets.

Lorsque vous achetez des moules, vous devez généralement ôter vous-même le byssus, en tirant simplement dessus ; s'il résiste un peu, coupez-le avec des ciseaux. Enlevez également les bernacles.

Les palourdes, moules et coques qui ne sont pas fraîches sont aisément reconnaissables : si elles sont déjà ouvertes avant la cuisson et qu'elles ne se ferment pas lorsqu'on tapote légèrement dessus, ou si elles ne s'ouvrent pas pendant qu'elles cuisent, jetez-les. Éliminez aussi celles dont la coquille est cassée. Rincez les moules, les palourdes et les coques à l'eau froide pendant 2 minutes afin d'enlever le sable qui se trouve dans les coquilles.

Les coquilles Saint-Jacques sont souvent vendues préparées chez le poissonnier, c'est-à-dire que le muscle blanc et le corail orange ont déjà été détachés de la coquille. Si vous achetez des saint-jacques encore dans leur coquille, il vous faudra retirer le manteau, la partie entourant le bord. Pour ce faire, détachez toute la noix (muscle, corail et manteau) de la coquille en sectionnant le muscle avec un couteau tranchant, puis retirez le manteau du muscle en tirant avec vos doigts.

Les calamars ont mauvaise réputation, car ils sont souvent coriaces et caoutchouteux : c'est parce qu'ils n'ont pas été cuits correctement. Il n'y a pas de juste milieu quand il s'agit de leur cuisson : pour obtenir des calamars délicieusement tendres, elle doit être soit très rapide, soit très lente. Si vous les cuisez rapidement, vous devez utiliser une poêle très chaude et les faire cuire pendant seulement 1 minute ; sinon, faites-les mijoter lentement. Préparer des calamars est plus simple qu'il n'y paraît, car ils sont vendus en partie parés. Coupez les tentacules à hauteur des yeux, si vous voulez les utiliser. Retirez ensuite le cartilage transparent dur, similaire à du plastique, qui se trouve dans le corps (la plume), puis jetez-le. Rincez bien le corps, puis coupez-le dans la longueur pour l'ouvrir, ou bien découpez-le en anneaux. Si vous incisez la chair pour l'attendrir, incisez toujours l'intérieur.

cuire le poisson

Dans la plupart des recettes de ce livre, le poisson ne prend que quelques minutes à cuire, il est donc important de tout préparer avant de le mettre dans la poêle. L'erreur la plus courante quand on cuisine du poisson est de trop le cuire.

Quand vous faites cuire les filets à la poêle avec la peau, les trois quarts de la cuisson doivent être effectués côté peau, car celle-ci protège la chair et permet de la cuire sans l'assécher. Une fois que le poisson est presque cuit, il devient opaque sur les bords. Vous pouvez alors le retourner et le faire cuire encore 1 minute.

Pour vérifier la cuisson du poisson, introduisez la pointe aiguisée d'un couteau dans la chair. Si elle glisse facilement, sans rencontrer de résistance, le poisson est cuit. C'est une astuce qui peut se révéler utile lors de la cuisson de filets plus épais ou quand vous faites rôtir du poisson. Le poisson cuit doit être ferme au toucher et de couleur opaque.

les ingrédients indispensables

Grâce à certains ingrédients qui peuvent être stockés dans vos placards, vous pouvez préparer des recettes rapides et simples du monde entier, qui vont vous faire découvrir toute une palette de saveurs. Les ingrédients secs comme les pâtes, les légumineuses et les graines, ainsi que les sauces – sauce de poisson thaïe, sauce soja, sauce douce au piment, harissa, etc. – se gardent pendant des mois dans un placard ou au réfrigérateur, et vont vous permettre de réaliser de délicieux plats.

Il existe désormais un très vaste choix d'épices sur le marché, et en en combinant quelques-unes, vous obtiendrez de délicieux currys et des ragoûts épicés en quelques minutes. Assurez-vous de toujours avoir en réserve chez vous des graines de coriandre, de cumin, de fenouil et de moutarde, du curcuma, du garam masala, du paprika, du paprika fumé et du poivre de Cayenne. Les piments rouges et verts se congèlent très bien, et vous pouvez les utiliser à tout moment lorsque vous voulez ajouter une note piquante supplémentaire. Les boîtes de tomates et de lait de coco font aussi partie des indispensables pour concocter rapidement un curry ou une sauce. N'oubliez pas les bocaux d'olives, de poivrons grillés, de tomates séchées, de légumineuses et d'anchois.

Les beurres aromatisés permettent d'ajouter rapidement du goût à un poisson qui a été

cuit simplement. Augmentez les quantités indiquées dans les recettes et conservez le reste au congélateur. Il vous suffit ensuite d'en couper quelques morceaux et de les laisser fondre sur le poisson.

valeur nutritionnelle du poisson

Beaucoup de nutritionnistes recommandent de consommer du poisson au moins 2 fois par semaine. Le poisson a naturellement une faible teneur en graisses saturées et est riche en graisses essentielles – surtout les poissons gras comme le saumon et le maquereau –, qui ont aussi une haute teneur en oméga-3, un acide gras qui doit être ingéré car il n'est pas produit par le corps. Les oméga-3 jouent un rôle important dans le régime alimentaire des enfants et des adultes, car ils sont nécessaires à un système nerveux sain.

Le poisson est naturellement riche en protéines, éléments indispensables à toutes les cellules du corps pour former des os, des muscles, des tendons et des ligaments sains. Il contient de nombreux minéraux, vitamines et oligoéléments, qui doivent faire partie d'un régime alimentaire équilibré. Certains fruits de mer contiennent beaucoup de cholestérol, mais il s'agit d'un type qui ne contribue que très légèrement au taux de cholestérol dans le sang ; il n'est donc pas nécessaire d'éviter les fruits de mer pour des raisons de santé.

préparer un bouillon de poisson

Pourquoi préparer vous-même votre bouillon ? Parce que, à une époque où nous sommes tous soucieux de réduire notre consommation de sel, le bouillon fait maison peut être sans sel ; par ailleurs, c'est une façon de recycler les restes.

Si vous achetez un poisson entier, demandez au poissonnier de mettre les arêtes et la tête de côté lorsqu'il lève les filets, pour préparer un bouillon maison. (N'utilisez pas les arêtes du carrelet, car elles rendent le bouillon amer.)

Si vous n'avez pas le temps de réaliser un bouillon dans l'immédiat, ne jetez pas les arêtes : emballez-les dans un sac plastique et placez-les au congélateur.

Si vous utilisez des arêtes de poisson surgelées, décongelez-les complètement avant emploi. Ne les plongez pas dans de l'eau chaude. Faites-les tremper dans de l'eau froide et changez-la régulièrement, ou bien décongelez-les au micro-ondes. Le bouillon peut être congelé dans un bac à glaçons puis mis dans un sac et conservé au congélateur, pour une utilisation simple et pratique.

bouillon de poisson

Pour **1 litre**

500 g d'**arêtes de poisson**
quelques **légumes** grossièrement hachés (**oignon**, **céleri**, **poireau** ou **carotte**)
1,5 litre d'**eau**, ou assez pour recouvrir les arêtes et les légumes
quelques **grains de poivre**
1 feuille de **laurier**
quelques brins de **thym**
quelques brins de **persil**
sel et **poivre**

Recouvrez les arêtes d'eau et ajoutez les légumes, les grains de poivre, la feuille de laurier, le thym et le persil. Portez à ébullition, puis baissez le feu et laissez mijoter 20 minutes, en écumant si nécessaire.

Passez le bouillon au tamis, jetez les légumes et les arêtes, puis faites-le réduire à feu vif pour obtenir la consistance et le goût souhaités.

Enfin, assaisonnez de sel et de poivre.

apéro

petites cuillères saumon-concombre

Pour **4 personnes**
Préparation **15 minutes**
+ marinade

250 g de **filet de saumon** sans la peau, désarêté et détaillé en petits dés
4 c. à s. de **jus de citron**
¼ de **concombre** épépiné et détaillé en petits dés
2 c. à s. de **câpres** égouttées finement hachées
1 c. à s. d'**estragon** ciselé
1 c. à s. de **mayonnaise**
sel et **poivre**
quelques brins d'**aneth** pour décorer (facultatif)

Placez le saumon dans un récipient non métallique. Versez le jus de citron dessus et mélangez bien pour en imprégner les dés de saumon. Couvrez et laissez mariner au réfrigérateur pendant 3 heures.

Égouttez bien pour ôter l'excédent de jus de citron. Mélangez le saumon avec le concombre, les câpres, l'estragon ciselé et la mayonnaise, assaisonnez de sel et de poivre et servez sur des cuillères en argent ou transparentes. Décorez de brins d'aneth si vous le souhaitez.

Pour du saumon fumé au concombre mariné, détaillez la chair d'un concombre en rubans avec un épluche-légumes, en laissant les pépins. Dans une petite casserole, portez à ébullition 2 cuillerées à soupe de vinaigre de riz et 1 cuillerée à soupe de sucre en poudre. Retirez du feu et laissez refroidir, puis ajoutez les rubans de concombre et 1 cuillerée à soupe d'aneth ciselé. Servez avec du saumon fumé.

sushis

Pour **4 à 6 personnes**
Préparation **30 minutes**
+ refroidissement
Cuisson **15 minutes**

225 g de **riz à sushis**
450 ml d'**eau**
4 **oignons nouveaux** émincés
4 c. à s. de **vinaigre de riz** assaisonné
1 c. à s. de **sucre en poudre**
25 g de **gingembre mariné** émincé
1 c. à s. de **graines de sésame** grillées
3 ou 4 **feuilles de nori**
100 g de **saumon sauvage** très frais, coupé en fines lanières
1 gros **filet de sole** sans la peau, désarêté et coupé en fines lanières
10 **crevettes cuites** décortiquées
sauce soja claire pour servir

Mettez le riz dans une casserole à fond épais, avec l'eau. Portez doucement à ébullition, puis baissez le feu et laissez mijoter, à demi couvert, pendant 5 à 8 minutes, jusqu'à ce que toute l'eau soit absorbée. Couvrez entièrement et faites cuire très doucement pendant encore 5 minutes : le riz doit être très tendre et collant. Transvasez-le dans un récipient et laissez-le refroidir.

Incorporez les oignons nouveaux, le vinaigre de riz, le sucre, le gingembre et les graines de sésame dans le riz.

À l'aide de ciseaux, découpez les feuilles de nori en carrés de 6 cm de côté. Humectez vos doigts et façonnez des petites boulettes ovales avec le riz. Disposez-les en diagonale sur les carrés de nori.

Rabattez les coins opposés du nori sur le riz et disposez 1 morceau de poisson ou 1 crevette dessus. Dressez sur un plat de service et servez avec un petit bol de sauce soja, pour y tremper les sushis.

Pour une sauce au piment et à la coriandre que vous pouvez aussi servir en accompagnement, versez 4 cuillerées à soupe de sauce soja claire dans un récipient. Ajoutez 1 cuillerée à soupe d'huile de sésame et un peu de wasabi en tube, et mélangez bien. Ajoutez 1 piment rouge finement haché, 1 cuillerée à café de graines de sésame et 1 cuillerée à soupe de feuilles de coriandre ciselées, et mélangez bien.

friture de fruits de mer

Pour **4 à 6 personnes**
Préparation **20 minutes**
Cuisson **5 minutes**

500 g d'un **mélange de fruits de mer** (par exemple **petite friture**, **poisson blanc** sans la peau et gras, **calamars** nettoyés, voir page 12)
1 **oignon nouveau** finement haché
1 **piment rouge doux** épépiné et coupé en fines rondelles
1 gousse d'**ail** finement hachée
2 c. à s. de **persil** ciselé
100 g de **semoule fine**
½ c. à c. de **paprika**
huile de tournesol pour la friture
sel et **poivre**
quartiers de **citron** ou de **citron vert** pour servir

Détaillez le poisson blanc en petits morceaux et les calamars en anneaux. Séchez les fruits de mer et le poisson en les tapotant avec du papier absorbant.

Mélangez l'oignon nouveau avec le piment, l'ail, le persil et du sel. Réservez.

Mettez la semoule et le paprika sur une assiette et assaisonnez légèrement avec du sel et du poivre. Roulez-y les morceaux de poisson et de fruits de mer pour les recouvrir du mélange.

Faites chauffer au moins 7 cm d'huile dans une friteuse ou une grande poêle, à 180-190 °C. Faites frire les poissons et fruits de mer, en plusieurs fois, pendant 30 à 60 secondes, jusqu'à ce qu'ils soient croustillants et dorés. Égouttez sur du papier absorbant et gardez au chaud pendant que vous faites frire le reste. Dressez dans des petits récipients et parsemez du mélange d'oignon nouveau, de piment, d'ail et de persil. Accompagnez de quartiers de citron ou de citron vert.

Pour une mayonnaise douce au piment à servir en accompagnement, mélangez 4 cuillerées à soupe de mayonnaise avec 1 cuillerée à soupe de sauce douce au piment. Versez le jus de ½ citron pressé dans la mayonnaise et mélangez bien. Ajoutez un peu de piment haché si vous voulez apporter une touche piquante.

toasts aux crevettes à la thaïe

Pour **4 personnes**
Préparation **25 minutes**
+ refroidissement
Cuisson **20 minutes**

1 c. à s. d'**huile végétale**
1 **oignon** finement haché
1 **piment rouge** épépiné et finement haché
5 cm de **gingembre frais** épluché et finement haché
1 gousse d'**ail** écrasée
200 g de **crevettes crues** décortiquées
150 g de **porc haché**
1 **œuf** légèrement battu
1 c. à s. de **sauce de poisson thaïe**
2 c. à s. de **coriandre** ciselée + quelques brins pour décorer
le **zeste** finement râpé de 2 **citrons verts**
5 tranches de **pain blanc**
2 c. à s. de **graines de sésame**
huile végétale pour la friture
sel et **poivre**
2 **citrons verts** coupés en quartiers pour servir

Faites chauffer l'huile dans une poêle à feu moyen, ajoutez l'oignon, le piment et le gingembre et faites cuire jusqu'à ce que l'oignon soit tendre. Ajoutez l'ail et faites revenir pendant encore 1 minute. Laissez refroidir.

Placez le mélange refroidi, les crevettes et le porc dans un robot de cuisine et mixez jusqu'à la formation d'une pâte. Ajoutez l'œuf, la sauce de poisson, la coriandre, le zeste de citron vert, un peu de sel et de poivre, et mixez à nouveau.

Étalez une couche d'environ 1 cm d'épaisseur de la préparation obtenue sur le pain. Parsemez de graines de sésame et coupez en triangles.

Faites chauffer au moins 7 cm d'huile dans une friteuse ou une grande casserole, à 180-190 °C. Faites frire 4 triangles à la fois pendant 3 minutes, côté tartiné vers le bas, puis retournez et faites cuire de l'autre côté pendant encore 1 minute. Égouttez sur du papier absorbant et gardez au chaud pendant que vous faites frire le reste. Servez avec les quartiers de citron vert et garnissez de brins de coriandre.

Pour un dip au citron vert et au piment à servir en accompagnement, mélangez 2 cuillerées à soupe de jus de citron vert, 2 cuillerées à soupe de sauce douce au piment et 2 cuillerées à soupe de sauce de poisson thaïe.

poulpe à l'ail

Pour **6 à 8 personnes**
Préparation **10 minutes**
+ refroidissement
et réfrigération
Cuisson **1 h 30**

2 litres d'**eau**
1 **oignon** coupé en quartiers
1 c. à c. de **clous de girofle** entiers
500 g de **poulpe** préparé, acheté au moins 2 jours avant d'être cuit et placé au congélateur pendant 48 heures pour attendrir la chair
6 c. à s. d'**huile d'olive vierge extra**
2 gousses d'**ail** écrasées
4 c. à s. de **persil** ciselé
1 c. à c. de **vinaigre de vin blanc**
sel et **poivre**

Dans une grande casserole, portez à ébullition l'eau avec l'oignon, les clous de girofle et 1 cuillerée à soupe de sel. Plongez complètement le poulpe dans l'eau, sortez-le, puis portez de nouveau à ébullition avant d'y replonger le poulpe. Répétez l'opération 4 fois (pour attendrir la chair). S'il y a plusieurs morceaux de poulpe, procédez morceau par morceau.

Baissez le feu et faites cuire le poulpe 1 heure, très doucement, puis vérifiez qu'il est bien tendre. Prolongez la cuisson de 15 à 30 minutes si nécessaire. Laissez refroidir dans le liquide puis égouttez. Détaillez en morceaux de la taille d'une bouchée et placez dans un récipient non métallique.

Mélangez l'huile d'olive avec l'ail, le persil, le vinaigre, du sel et du poivre, et versez la préparation dans le récipient avec le poulpe. Couvrez et laissez reposer au réfrigérateur plusieurs heures ou toute la nuit. Servez avec du pain.

Pour un poulpe au chorizo, préparez le poulpe comme ci-dessus. Saupoudrez 1 cuillerée à café de paprika doux sur 2 chorizos coupés en rondelles et faites cuire jusqu'à ce qu'ils soient croustillants. Égouttez sur du papier absorbant. Placez 2 cuillerées à soupe d'huile d'olive dans un récipient, avec le jus de 1 citron et le chorizo. Salez et poivrez. Ajoutez les morceaux de poulpe et mélangez bien. Au moment de servir, incorporez 1 cuillerée à soupe de feuilles de coriandre ciselées et 1 cuillerée à soupe de persil ciselé. Servez avec du pain.

crostinis et pâté de morue

Pour **4 personnes**
Préparation **15 minutes**
+ trempage,
refroidissement
et réfrigération
Cuisson **15 minutes**

300 g de morceaux
de **morue**
1 gousse d'**ail** écrasée
100 ml de **crème fraîche**
épaisse
½ c. à c. de **paprika**
jus de citron, à votre goût
poivre
1 petite poignée
de **ciboulette** ciselée,
pour décorer (facultatif)

Crostinis
5 tranches de **pain**
aux céréales
huile d'olive

Faites tremper les morceaux de morue 12 heures dans de l'eau froide. Changez l'eau souvent.

Placez-les dans une casserole et recouvrez d'eau froide. Portez à ébullition, puis baissez le feu et laissez mijoter 5 minutes. Égouttez. Émiettez le poisson, en ôtant les arêtes et la peau. Mixez-le avec l'ail dans un robot. Tout en mixant, versez la crème fraîche. Sortez la préparation du robot et assaisonnez de paprika, de jus de citron et de poivre. Ne salez pas. Placez le pâté dans un récipient et couvrez de film alimentaire. Quand il est froid, mettez-le au réfrigérateur 1 heure.

Pour les crostinis, découpez 4 disques de 3 cm de diamètre dans chaque tranche de pain. Disposez-les sur une plaque de four, arrosez d'un peu d'huile d'olive et faites cuire 7 à 10 minutes dans un four préchauffé à 180 °C.

Tartinez les crostinis de pâté de morue et parsemez de ciboulette ciselée, si vous le souhaitez.

Pour de la morue à la salsa de poivrons, faites tremper puis bouillir 300 g de morue comme ci-dessus. Une fois qu'elle est cuite, émiettez-la finement et faites revenir dans un peu d'huile d'olive. Hachez 200 g d'un mélange de poivrons marinés en bocal et mélangez avec un peu d'huile du bocal. Ajoutez 8 tomates séchées à l'huile égouttées et hachées, et 8 olives noires dénoyautées hachées. Servez la salsa de poivrons sur des petits crostinis, parsemez d'un peu de morue et arrosez de jus de citron pressé.

calamars frits, sel et piment

Pour **6 à 8 personnes**
Préparation **20 minutes**
+ réfrigération
Cuisson **3 minutes**

750 g de **calamars** nettoyés (voir page 12) et coupés en deux dans le sens de la longueur, sans les tentacules
200 ml de **jus de citron**
100 g de **farine de maïs**
1 ½ c. à s. de **sel**
2 c. à c. de **poivre blanc**
1 c. à c. de **piment en poudre**
2 c. à c. de **sucre en poudre**
4 **blancs d'œufs** battus
huile de tournesol pour la friture

Dip
1 **piment rouge** épépiné et coupé en petits dés
1 c. à s. d'**échalote** en dés
2 c. à c. de **coriandre** ciselée
6 c. à s. de **sauce soja claire**
1 c. à s. de **vin de riz chinois**

Pour décorer
piments rouges épépinés et coupés en fines rondelles
oignons nouveaux coupés en fines rondelles

Ouvrez les calamars et séchez-les avec du papier absorbant. Disposez-les sur une planche à découper, côté brillant vers le bas, et incisez la chair en croisillons avec un couteau tranchant sans la transpercer. Détaillez les calamars en morceaux de 5 x 2 cm et placez-les dans un récipient non métallique.Versez le jus de citron dessus et placez au réfrigérateur pour 15 minutes.

Mélangez la farine de maïs, le sel, le poivre, la poudre de piment et le sucre dans une assiette. Plongez les morceaux de calamar dans les blancs d'œufs puis roulez-les dans la préparation à la farine de maïs.

Faites chauffer 7 cm d'huile dans une friteuse ou une grande casserole, à 180-190 °C. Faites frire les calamars, en 3 fois, pendant 1 minute. Sortez-les avec une écumoire et égouttez-les sur du papier absorbant.

Mélangez tous les ingrédients du dip. Servez les calamars dans des petits cornets en papier, garnissez de piment rouge et d'oignon nouveau, et accompagnez du dip.

Pour des calamars frits, sel et poivre, préparez les calamars comme ci-dessus. Mélangez 100 g de farine de maïs, 2 cuillerées à café de sucre en poudre, 1 ½ cuillerée à soupe de sel, 1 cuillerée à café de poivre blanc moulu et 1 cuillerée à café de poivre noir moulu. Plongez les calamars dans des blancs d'œufs battus puis roulez-les dans la préparation à la farine. Faites frire dans de l'huile de tournesol 1 minute, puis égouttez sur du papier absorbant et servez comme ci-dessus.

無

brochettes de thon épicé

Pour **4 personnes**
Préparation **10 minutes**
+ marinade
Cuisson **6 minutes**

1 c. à s. de **curcuma**
1 c. à s. de **cumin moulu**
1 c. à s. de **coriandre moulue**
3,5 cm de **gingembre frais** épluché et finement haché
2 c. à s. d'**huile d'olive**
2 gousses d'**ail** écrasées
400 g de **steak de thon** frais coupé en morceaux
200 ml de **yaourt nature**
le **zeste** finement râpé de 1 **citron**
huile végétale
sel et **poivre**

Mettez le curcuma, le cumin, la coriandre, le gingembre, l'huile d'olive et 1 gousse d'ail dans un récipient et mélangez bien. Ajoutez le thon, en enrobant tous les morceaux de la préparation. Couvrez et laissez mariner au réfrigérateur pendant au moins 1 heure, ou si possible toute la nuit.

Mélangez le yaourt avec la gousse d'ail restante et le zeste de citron. Assaisonnez de sel et de poivre. Faites chauffer un gril en fonte à feu vif et badigeonnez-le d'un peu d'huile végétale. Saisissez les morceaux de thon, en plusieurs fois, pendant 1 minute d'un côté et 30 secondes de l'autre. Sortez-les de la poêle et servez avec des brochettes en bambou pour pouvoir les tremper dans la sauce au yaourt.

Pour du thon à la mayonnaise au wasabi, badigeonnez bien 400 g de steak de thon frais détaillé en morceaux avec un peu d'huile végétale. Assaisonnez de sel et d'un peu de poivre du Sichuan moulu, puis saisissez sur un gril en fonte chaud comme indiqué ci-dessus. Mélangez 5 cuillerées à soupe de mayonnaise avec 1 cuillerée à soupe de wasabi en tube et 1 cuillerée à café de jus de citron vert. Servez avec le thon.

brochettes de hareng et concombre

Pour **15 brochettes**
Préparation **15 minutes**
+ marinade

15 **filets de hareng marinés** en bocal, égouttés, ou 15 **rollmops**

Concombre à l'aneth
1 gros **concombre**
200 ml de **vinaigre de vin blanc**
2 c. à c. de **sucre en poudre**
3 c. à s. d'**aneth** ciselé
sel et **poivre**
dip à la betterave et à la crème aigre pour servir (facultatif, voir ci-contre)

Détaillez le concombre en longs et fins rubans à l'aide d'un épluche-légumes, puis mettez-les dans un récipient peu profond non métallique. Mélangez le vinaigre avec le sucre, incorporez l'aneth et versez sur les lamelles de concombre. Assaisonnez avec du sel et du poivre, couvrez et laissez mariner au réfrigérateur pendant 3 à 4 heures.

Enfilez 1 filet de hareng ou 1 rollmops sur 1 brochette en bambou ou en bois, avec quelques rubans de concombre. Répétez l'opération avec le reste de hareng et de concombre, pour obtenir 15 brochettes. Servez à température ambiante, avec le dip à la betterave et à la crème aigre (voir ci-dessous) si vous le souhaitez.

Pour un dip à la betterave et à la crème aigre à servir en accompagnement, râpez finement 50 g de betterave cuite épluchée dans un robot de cuisine. Ajoutez 100 ml de crème aigre (ou, à défaut, de crème fraîche) et 100 g de mayonnaise, et mixez jusqu'à obtention d'une sauce assez onctueuse et rose, puis réfrigérez jusqu'à emploi.

calamars cajun et dip à l'avocat

Pour **4 personnes**
Préparation **7 minutes**
Cuisson **8 minutes**

150 g de **farine**
1 c. à s. bombée de **mélange cajun**
4 gros **calamars** nettoyés (voir page 12) et coupés en anneaux, sans les tentacules
huile végétale
sel et **poivre**

Dip à l'avocat
2 **avocats mûrs** épluchés et dénoyautés
1 petit **oignon rouge** finement haché
1 **piment rouge** épépiné et finement haché
2 c. à s. de **crème fraîche épaisse**
le **jus** de 1 **citron vert**
sel et **poivre**

Mettez les avocats dans un robot de cuisine et mixez jusqu'à homogénéité (ou écrasez-les simplement avec une fourchette). Incorporez l'oignon, le piment et la crème fraîche. Assaisonnez avec le jus de citron vert, du sel et du poivre. Réservez pendant que vous préparez les calamars.

Mettez la farine et le mélange cajun dans un grand sac de congélation, avec un peu de sel et de poivre, et mélangez bien. Ajoutez les calamars dans le sac et agitez bien pour enrober tous les anneaux.

Faites chauffer 1 cm d'huile dans une poêle à feu vif. Enlevez tout excédent de farine des calamars et faites-les frire rapidement, en plusieurs fois, par petites quantités, pendant 1 à 2 minutes. Sortez-les de la poêle puis égouttez-les sur du papier absorbant. Gardez-les au chaud pendant que vous faites cuire le reste, puis servez immédiatement avec le dip à l'avocat.

Pour des crevettes panées au citron vert et à la mayonnaise au piment, décortiquez 20 grosses crevettes crues, en laissant la queue. Saupoudrez-les de farine, plongez-les dans de l'œuf battu puis roulez-les dans du panko (chapelure japonaise), ou de la chapelure blanche si vous ne trouvez pas de panko. Faites dorer les crevettes dans un fond d'huile végétale et arrosez-les du jus de 1 citron vert pressé. Mélangez 1 piment rouge épépiné et finement haché avec 125 g de mayonnaise, et servez avec les crevettes au citron vert.

cornets de frites et petits poissons

Pour **12 cornets**
Préparation **20 minutes**
Cuisson **10 minutes**

250 g de **pommes de terre** épluchées et détaillées en longues frites fines
huile de tournesol pour la friture
4 c. à s. de **farine**
400 g de **petite friture**
sel et **poivre**
vinaigre de malt pour servir

Recouvrez une grande feuille de papier journal de papier sulfurisé, puis découpez cette double couche en 12 carrés et formez un petit cône avec chacun.

Rincez les frites sous l'eau froide et essuyez-les avec du papier absorbant. Faites chauffer au moins 7 cm d'huile dans une friteuse ou une grande casserole, à 180-190 °C. Faites frire les frites 4 à 5 minutes, puis égouttez sur du papier absorbant et remettez-les dans la friteuse pour 1 à 2 minutes, afin qu'elles soient dorées et croustillantes. Égouttez et gardez au chaud.

Dans une grande assiette, assaisonnez la farine de sel et de poivre. Roulez la petite friture dedans et faites frire 1 à 2 minutes. Égouttez sur du papier absorbant.

Mélangez les poissons frits avec les frites, saupoudrez de sel et disposez dans les cônes en papier. Servez avec le vinaigre de malt à côté.

Pour des petits poissons frits aux patates douces à l'indienne, épluchez 2 grosses patates douces et coupez-les en quartiers. Placez-les dans un saladier, avec 2 cuillerées à soupe d'huile végétale, 1 cuillerée à café de cumin moulu, 1 cuillerée à café de coriandre moulue et 1 cuillerée à café de graines de fenouil légèrement écrasées, puis mélangez. Étalez sur une plaque de four antiadhésive et faites rôtir 30 minutes dans un four préchauffé à 200 °C. Faites frire la petite friture comme indiqué ci-dessus, puis mélangez avec les patates douces épicées avant de servir.

beignets de maïs au saint-pierre

Pour **4 personnes**
Préparation **10 minutes**
Cuisson **20 minutes**

2 c. à s. d'**huile d'olive**
2 **saint-pierre** levés en filets, désarêtés et détaillés en morceaux de la taille d'une bouchée
sel et **poivre**

Beignets
75 g de **farine avec levure incorporée**
½ c. à c. de **paprika**
1 **œuf**
50 ml de **lait**
2 épis de **maïs doux**, grains détachés
1 **poivron rouge** évidé, épépiné et coupé en petits dés
2 c. à s. d'**huile végétale**
sel et **poivre**

Pour servir (facultatif)
100 ml de **crème aigre** ou de **crème fraîche**
quelques feuilles de **coriandre**

Mélangez la farine, le paprika, l'œuf et le lait jusqu'à la formation d'une pâte homogène. Incorporez les grains de maïs et le poivron rouge, salez et poivrez.

Faites chauffer l'huile végétale dans une poêle à feu moyen. Mettez-y des cuillerées à café pleines de pâte à beignets et faites frire jusqu'à ce que des bulles commencent à apparaître à la surface. Retournez-les et faites-les cuire de l'autre côté. Gardez au chaud pendant la cuisson du poisson. (Vous pouvez aussi préparer les beignets la veille et les réchauffer au four avant de les servir.)

Faites chauffer une poêle à feu vif et ajoutez l'huile d'olive. Assaisonnez les saint-pierre et faites-les cuire 2 minutes, puis retournez et poursuivez la cuisson 30 secondes. Déposez 1 cuillerée de crème aigre sur chaque beignet puis placez un morceau de poisson dessus. Décorez d'une feuille de coriandre.

Pour des petites cuillères de maïs doux, poivron et saint-pierre, mélangez 250 g de maïs doux en boîte égoutté avec 1 poivron rouge évidé, épépiné et finement haché. Ajoutez 1 cuillerée à café de piment rouge finement haché, 1 cuillerée à soupe de coriandre ciselée et 1 cuillerée à soupe d'huile d'olive. Assaisonnez de sel et de poivre. Faites frire le saint-pierre comme indiqué ci-dessus. Disposez un peu de la préparation au maïs doux dans des cuillères à dessert en argent, recouvrez d'un morceau de poisson et arrosez de jus de citron vert pressé. Garnissez d'un brin de coriandre.

brochettes de saint-jacques et prosciutto

Pour **20 brochettes**
Préparation **20 minutes**
+ marinade
Cuisson **2 à 4 minutes**

2 gousses d'**ail** écrasées
1 **piment rouge séché** écrasé
4 c. à s. d'**huile d'olive**
le jus de ½ **orange**
1 c. à c. d'**origan séché**
20 grosses **noix de Saint-Jacques** nettoyées (voir page 12), sans corail (facultatif)
10 fines tranches de **prosciutto** coupées chacune en 2 lanières
20 feuilles de **basilic**
10 **tomates semi-séchées** coupées en deux
sel

Mettez l'ail, le piment, l'huile d'olive, le jus d'orange et l'origan dans un petit récipient, mélangez bien et assaisonnez de sel.

Déposez les noix de Saint-Jacques dans un récipient peu profond, sans les superposer, et versez la préparation à l'ail et au piment dessus. Couvrez et laissez mariner au réfrigérateur pendant 15 à 20 minutes.

Enveloppez chaque noix de Saint-Jacques de 1 tranche de prosciutto et piquez-y une brochette en métal ou en bambou préalablement trempée dans de l'eau, pour faire tenir le tout. Ajoutez 1 feuille de basilic et 1 moitié de tomate semi-séchée sur chaque brochette.

Disposez les brochettes à environ 6 cm d'un gril préchauffé à température élevée et faites cuire pendant 1 à 2 minutes de chaque côté : les noix de Saint-Jacques doivent être juste cuites, elles durciront si vous les faites cuire trop longtemps. Servez immédiatement.

Pour une sauce aux agrumes à servir en accompagnement, mettez les jus de ½ orange et de ½ pamplemousse dans une petite casserole. Portez à ébullition et faites réduire jusqu'à obtention d'une consistance épaisse et sirupeuse. Versez dans un bol et incorporez 3 cuillerées à soupe d'huile d'olive. Assaisonnez de sel et de poivre, et ajoutez un peu de miel si la sauce est trop acide.

makis saumon fumé et concombre

Pour **4 personnes**
Préparation **15 minutes**
+ refroidissement
Cuisson **15 minutes**

300 g de **riz à sushis**
2 c. à s. de **vinaigre de riz**
1 c. à s. de **sucre en poudre**
2 **feuilles de nori**
1 c. à c. de **wasabi** en tube
2 longs bâtonnets de **concombre**, de la longueur d'une feuille de nori et d'environ 1 cm d'épaisseur
100 g de **saumon fumé**
2 c. à s. de **gingembre mariné**
4 c. à s. de **sauce soja**

Faites cuire le riz à sushis. Mélangez le vinaigre et le sucre, jusqu'à ce que le sucre soit dissous. Une fois que le riz est cuit et tant qu'il est encore chaud, incorporez assez de mélange vinaigre-sucre pour enrober les grains, mais pas trop car le riz ne doit pas être trop humide. Transvasez le riz sur une plaque pour qu'il refroidisse rapidement.

Placez 1 feuille de nori sur une natte en bambou, le côté le plus long parallèle à vous et la surface striée vers le haut. Avec les mains humides, étalez une fine couche de riz sur les trois quarts de la feuille de nori, en laissant une bande sans riz en haut.

Étalez une fine ligne de wasabi sur le riz avec vos doigts, sur le bord le plus proche de vous, puis placez un bâtonnet de concombre et un peu de saumon fumé dessus.

Commencez à rouler la feuille de nori avec la natte en bambou, en serrant bien pour que le concombre et le saumon restent en place. Une fois que vous avez roulé la feuille sur presque toute sa longueur, mouillez votre doigt et passez-le sur la surface sans riz du nori. Finissez de rouler, le bord humide permettra de coller le rouleau. Répétez l'opération avec l'autre feuille de nori. Enfin, à l'aide d'un couteau tranchant, coupez les rouleaux en 8 morceaux de taille égale.

Mélangez le reste du wasabi avec le gingembre mariné et la sauce soja, et servez en accompagnement.

petits nids de nouilles au crabe

Pour **20 petits nids**
Préparation **10 minutes**
Cuisson **11 à 15 minutes**

100 g de **fines nouilles aux œufs fraîches**
1 c. à s. d'**huile de tournesol** + un peu pour les moules
2 **oignons nouveaux** coupés en fines rondelles
2 gousses d'**ail** finement hachées
1 c. à c. de **gingembre frais** épluché et coupé en petits dés
1 **piment rouge** épépiné et coupé en petits dés
200 g de **chair de crabe**
2 c. à s. de **sauce douce au piment**
4 c. à s. de **coriandre** ciselée

Huilez 20 minimoules à tartelettes antiadhésifs. Divisez les nouilles en 20 portions et mettez-en 1 dans chaque moule, en appuyant bien pour former un fond de tarte et en vous assurant que la base est bien couverte. Badigeonnez avec un peu d'huile et placez dans un four préchauffé à 180 °C pour 8 à 10 minutes, afin que les nouilles soient croustillantes. Sortez-les des moules et laissez refroidir sur une grille.

Faites chauffer 1 cuillerée à soupe d'huile dans un grand wok ou une poêle antiadhésive et faites sauter les oignons nouveaux, l'ail, le gingembre et le piment 2 à 3 minutes. Ajoutez la chair de crabe et faites revenir encore 1 à 2 minutes, puis retirezdu feu. Incorporez la sauce douce au piment et la coriandre et mélangez.

Disposez 1 cuillerée à café bombée de la préparation au crabe dans chaque nid de nouilles refroidi, et servez.

Pour des linguine au crabe et au piment, faites cuire 300 g de linguine. Égouttez et réservez. Faites chauffer 2 cuillerées à soupe d'huile d'olive dans une grande poêle et faites revenir 1 gros piment rouge finement haché pendant 2 minutes. Incorporez 4 oignons nouveaux coupés en fines rondelles, 375 g de chair de crabe, le jus de 1 citron vert et 2 cuillerées à soupe de feuilles de coriandre ciselées. Ajoutez les linguine et mélangez bien tous les ingrédients. Assaisonnez avec 2 cuillerées à soupe d'huile d'olive et servez immédiatement.

lieu jaune frit

Pour **4 personnes**
Préparation **15 minutes**
Cuisson **20 minutes**

150 g de **farine avec levure incorporée**
1 c. à s. de **farine de maïs**
2 c. à s. de **coriandre** ciselée
125 ml d'**eau pétillante**
425 g de **filet de lieu jaune** désarêté et coupé en lanières de 7 x 2,5 cm
huile végétale pour la friture
sel et **poivre**
1 **citron vert** coupé en quartiers, pour servir

Sauce
50 ml de **sauce douce au piment**
1 c. à s. de **gingembre mariné** finement haché + 1 c. à c. de jus

Mélangez les ingrédients de la sauce puis réservez.

Mettez la farine, la farine de maïs, la coriandre, une bonne pincée de sel et du poivre dans un grand récipient. Incorporez l'eau pétillante en remuant avec une fourchette pour obtenir une pâte à la consistance de crème fraîche. Ne remuez pas trop : les petits grumeaux de farine ne sont pas gênants. Séchez les lanières de poisson en les tapotant avec du papier absorbant, puis plongez-les dans la pâte.

Faites chauffer au moins 7 cm d'huile dans une friteuse ou une grande casserole, à 180-190 °C. Faites cuire le poisson par petites quantités jusqu'à ce qu'il soit brun doré. Égouttez sur du papier absorbant et gardez au chaud pendant que vous faites frire le reste.

Servez le poisson frit avec la sauce et garnissez de quartiers de citron vert.

Pour une sauce tartare maison à servir en accompagnement, mélangez 150 g de mayonnaise, 1 cuillerée à soupe de cornichons finement hachés, 1 cuillerée à soupe de câpres finement hachées, 1 cuillerée à soupe d'échalote finement hachée et 2 cuillerées à soupe de persil ciselé. Assaisonnez de sel et de poivre.

flûtes feuilletées aux anchois

Pour **4 personnes**
Préparation **10 minutes**
Cuisson **10 minutes**

2 rouleaux de **pâte feuilletée**
50 g de **filets d'anchois** en conserve égouttés et finement hachés
4 c. à s. de **parmesan** finement râpé
1 **œuf** légèrement battu
1 c. à s. de **graines de sésame noir**

Étalez 1 rouleau de pâte feuilletée sur le plan de travail. Répartissez les anchois dessus et saupoudrez de parmesan.

Badigeonnez d'œuf battu un côté de l'autre rouleau de pâte. Recouvrez les anchois et le parmesan avec le deuxième rouleau, côté œuf sur la garniture. Passez un rouleau à pâtisserie sur la pâte pour sceller les 2 rouleaux. Elle devrait avoir la même épaisseur que 1 seul rouleau de départ. Badigeonnez le dessus d'œuf battu et parsemez de graines de sésame noir.

Découpez le sandwich en bâtonnets de 10 x 1,5 cm et disposez-les sur une plaque de four antiadhésive, en les espaçant pour qu'ils aient la place de gonfler. Faites cuire dans un four préchauffé à 200 °C pendant 10 minutes. Sortez-les du four et laissez refroidir sur une grille.

Pour des flûtes de filo aux anchois et olives noires, badigeonnez 1 feuille de pâte filo avec du beurre fondu. Recouvrez-la d'une autre feuille de pâte filo et badigeonnez de beurre fondu. Mélangez 50 g de filets d'anchois en conserve égouttés et 50 g d'olives noires dénoyautées et hachées. Étalez un peu de cette préparation sur le bord de la pâte filo, puis commencez à la rouler en forme de bâtonnet. Répétez l'opération. Coupez chaque bâtonnet en deux et badigeonnez l'extérieur avec du beurre fondu. Faites cuire dans un four préchauffé à 190 °C pendant 8 à 10 minutes.

feuilletés homard-estragon

Pour **20 feuilletés**
Préparation **20 minutes**
Cuisson **12 à 15 minutes**

200 g de **pâte feuilletée**
farine
2 **œufs** légèrement battus
150 g de **chair de queue de homard cuite** détaillée en dés de 1 cm de côté
4 c. à s. de **mayonnaise**
1 c. à c. de **moutarde américaine**
1 c. à s. de **poivron rouge** évidé, épépiné et coupé en tout petits dés
2 c. à s. d'**estragon** ciselé
sel et **poivre**
brins d'**estragon** pour décorer

Tapissez une grande plaque de four de papier sulfurisé. Abaissez la pâte feuilletée à 5 mm d'épaisseur sur un plan de travail fariné. Découpez 40 disques de 6 cm de diamètre à l'aide d'un emporte-pièce. Disposez 20 disques sur la plaque de four, en les espaçant bien, et badigeonnez-les d'œuf battu. À l'aide d'un emporte-pièce de 3 cm de diamètre, découpez des disques au centre des 20 disques restants. Retirez ceux du centre pour obtenir 20 anneaux. Placez ces anneaux sur les disques de pâte badigeonnés d'œuf et appuyez pour sceller. Badigeonnez de nouveau d'œuf battu, puis faites cuire 12 à 15 minutes dans un four préchauffé à 200 °C. Sortez du four et mettez à refroidir sur une grille.

Placez la chair de homard dans un récipient et incorporez la mayonnaise, la moutarde, le poivron rouge et l'estragon. Salez et poivrez. Remplissez les feuilletés refroidis avec la préparation. Garnissez de brins d'estragon et servez.

Pour des crevettes en robe de pâte feuilletée, abaissez 200 g de pâte feuilletée à 2 ou 3 mm d'épaisseur. Ôtez la tête de 15 très grosses crevettes crues puis décortiquez-les, en laissant le bout de la queue. Découpez des carrés de 5 cm de côté dans la pâte feuilletée et badigeonnez les bords avec un peu d'œuf battu. Enveloppez chaque crevette d'un carré de pâte feuilletée, en laissant le bout de la queue visible. Retirez l'excédent de pâte. Badigeonnez d'œuf battu et parsemez de graines de sésame. Faites cuire 10 à 15 minutes dans un four préchauffé à 180 °C.

rouleaux aux écrevisses

Pour **4 personnes**
Préparation **25 minutes**

8 **galettes de riz**
16 longs brins de **ciboulette**
4 feuilles de **laitue iceberg** coupées en fines lanières
4 **oignons nouveaux** détaillés en fines allumettes
16 feuilles de **menthe** ciselées
16 **queues d'écrevisse cuites** décortiquées
3 c. à s. de **sauce hoisin**

Faites tremper les galettes de riz dans un récipient peu profond rempli d'eau chaude, environ 5 minutes, pour les attendrir. Sortez-les de l'eau et placez-les sur un torchon propre et sec. Coupez-les en deux.

Faites blanchir les brins de ciboulette à l'eau bouillante pendant 10 secondes, puis refroidissez-les en les passant sous l'eau froide.

Disposez un peu de laitue, d'oignon nouveau, de menthe et 1 queue d'écrevisse sur chaque moitié de galette de riz. Roulez pour envelopper la garniture, en rabattant les extrémités. Nouez un brin de ciboulette autour du centre de chaque rouleau pour sceller, puis disposez sur un plateau recouvert d'un torchon propre et humide, pendant que vous préparez le reste des rouleaux. Servez les rouleaux aux écrevisses avec la sauce hoisin pour les tremper dedans.

Pour des rouleaux de pâte filo aux crevettes et pousses de bambou, badigeonnez 1 feuille de filo avec un peu de beurre fondu. Placez le bord le plus court parallèlement à vous. Déposez 1 grosse crevette crue décortiquée et un petit tas de pousses de bambou sur le bord de la feuille, au centre. Roulez la feuille pour envelopper la garniture, en rabattant les extrémités. Répétez l'opération avec 15 autres feuilles de filo, 15 grosses crevettes et quelques pousses de bambou. Badigeonnez les rouleaux de beurre fondu et faites-les cuire dans un four préchauffé à 180 °C pendant 10 à 15 minutes. Servez avec de la sauce hoisin.

cuillères de soba et œufs de saumon

Pour **20 cuillères**
Préparation **15 minutes**
Cuisson **5 minutes**

250 g de **nouilles soba**
4 c. à s. de **sauce soja claire**
4 c. à s. de **mirin** (vin de riz)
1 c. à c. d'**huile de sésame grillé**
¼ de c. à c. de **wasabi** en tube
6 c. à s. d'**huile de tournesol**
2 **oignons nouveaux** coupés en fines rondelles
25 g de petits **œufs de saumon**

Faites cuire les nouilles en suivant les instructions sur l'emballage, jusqu'à ce qu'elles soient juste tendres. Égouttez-les, rincez-les à l'eau froide puis égouttez-les de nouveau.

Mélangez bien au fouet la sauce soja, le mirin, l'huile de sésame, le wasabi et l'huile de tournesol dans un récipient, jusqu'à homogénéité. Ajoutez les nouilles et remuez doucement pour bien les enrober, puis incorporez les oignons nouveaux et mélangez bien.

Divisez les nouilles en 20 portions de la taille d'une bouchée, puis enroulez chaque portion avec une fourchette pour former un nid. Avec précaution, transvasez-les sur des cuillères asiatiques puis, à l'aide d'une cuillère à café, disposez sur chaque nid un peu d'œufs de saumon. Servez immédiatement.

Pour une salade de soba et écrevisses, faites cuire les nouilles en suivant les instructions sur l'emballage, égouttez et réservez. Mélangez a cuillerées à soupe de sauce douce au piment, le jus de 1 citron vert et 2 cuillerées à soupe de sauce de poisson thaïe. Versez la sauce sur les nouilles égouttées et mélangez bien. Ajoutez 50 g de cacahuètes salées, 200 g de queues d'écrevisse cuites décortiquées et 4 oignons nouveaux coupés en fines rondelles. Garnissez de 1 grosse poignée de feuilles de coriandre avant de servir.

scones à la truite fumée

Pour **4 personnes**
Préparation **30 minutes**
Cuisson **7 à 10 minutes**

250 g de **farine avec levure incorporée** + un peu pour le plan de travail
1 pincée de **sel**
½ c. à c. de **levure chimique**
50 g de **beurre** détaillé en dés
1 c. à s. de **romarin** ciselé
1 **œuf** légèrement battu
environ 150 ml de **babeurre**
un peu de **lait**
quelques brins d'**aneth** pour décorer (facultatif)

Garniture
125 g de **fromage frais**
1 c. à s. d'**aneth** ciselé
1 c. à s. de **ciboulette** ciselée
150 g de **truite fumée**
sel et **poivre**

Tamisez la farine, le sel et la levure au-dessus d'un récipient, puis sablez le beurre avec la farine, du bout des doigts, jusqu'à ce que le mélange ressemble à de la chapelure. Incorporez le romarin, l'œuf et assez de babeurre pour obtenir une pâte souple mais pas collante. Ne la travaillez pas trop.

Abaissez la pâte à 1,5 cm d'épaisseur sur un plan de travail fariné. À l'aide d'un emporte-pièce de 3 cm de diamètre, découpez 16 disques. Déposez-les sur une plaque de four antiadhésive et badigeonnez le dessus avec un peu de lait. Faites cuire les scones dans un four préchauffé à 190 °C pendant 7 à 10 minutes – ils doivent lever et devenir brun doré –, puis transvasez-les sur une grille pour les faire refroidir.

Mélangez le fromage frais, l'aneth et la ciboulette et assaisonnez de sel et de poivre.

Découpez un chapeau sur le haut de chaque scone pour obtenir une surface plate, puis étalez un peu de la préparation au fromage frais. Disposez un peu de truite fumée dessus et garnissez d'un brin d'aneth, si vous le souhaitez.

Pour un pâté de saumon fumé à étaler sur les scones à la place de la garniture au fromage frais, mixez 250 g de saumon fumé avec 2 cuillerées à soupe de crème liquide et 100 g de fromage frais dans un robot. Incorporez 2 cuillerées à soupe d'aneth ciselé et assaisonnez de sel et de poivre.

beurre aux crevettes et pitas

Pour **4 personnes**
Préparation **10 minutes**
+ réfrigération
Cuisson **15 minutes**

1 c. à s. d'**huile d'olive**
1 petit **oignon rouge** finement haché
1 **piment vert** épépiné et finement haché
200 g de **beurre**
200 g de **crevettes grises cuites** décortiquées
le **zeste** râpé de 1 **citron vert** + environ 1 c. à c. du **jus**
sel et **poivre**

Pitas aux herbes
50 g de **beurre** ramolli
1 gousse d'**ail** écrasée
1 c. à s. de **coriandre** ciselée
1 c. à s. de **persil** ciselé
4 **pitas**
sel et **poivre**

Faites chauffer l'huile d'olive dans une poêle à feu moyen et faites revenir l'oignon et le piment. Retirez du feu, ajoutez le beurre et laissez-le fondre. Ajoutez enfin les crevettes et le zeste de citron vert. Assaisonnez avec du jus de citron vert selon votre goût, un peu de sel et de poivre.

Transvasez la préparation dans 4 petits ramequins, ou un grand. Couvrez et placez au réfrigérateur pour au moins 2 heures afin de faire durcir le beurre. (Vous pouvez tout à fait le préparer la veille.) Sortez-le du réfrigérateur 20 minutes avant de le servir.

Mettez le beurre ramolli dans un petit récipient. Incorporez l'ail, la coriandre et le persil, assaisonnez à votre goût de sel et de poivre. Faites une incision dans chaque pita pour ouvrir la poche et étalez 1 cuillerée à café de beurre aux herbes dessus.

Enveloppez les pitas de papier d'aluminium et enfournez à 180 °C pour 8 à 10 minutes, ou jusqu'à ce qu'elles soient chaudes et que le beurre soit fondu. Servez avec le beurre aux crevettes.

Pour préparer des « potted shrimps » traditionnelles, faites fondre 200 g de beurre dans une casserole. Retirez du feu et incorporez 1 pincée de macis moulu, 1 pincée de noix de muscade moulue et 1 pincée de paprika moulu. Ajoutez 200 g de crevettes grises cuites décortiquées, assaisonnez de sel et de poivre. Répartissez dans des ramequins puis placez au réfrigérateur. Servez avec du pain au levain grillé.

soupes & plats mijotés

soupes aux haricots blancs et crevettes

Pour **4 personnes**
Préparation **25 minutes**
Cuisson **20 minutes**

2 c. à s. d'**huile d'olive**
10 **oignons nouveaux** grossièrement hachés + un peu finement haché pour décorer
1 gousse d'**ail** grossièrement hachée
quelques feuilles de **thym**
800 g de **haricots blancs** en boîte égouttés et rincés
750 ml de **bouillon de poulet** ou **de poisson** (voir page 15)
100 ml de **crème fraîche épaisse**
20 **crevettes tigrées crues** décortiquées et déveinées
sel et **poivre**
2 c. à s. de **ciboulette** ciselée pour décorer

Faites chauffer 1 cuillerée à soupe d'huile d'olive dans une casserole. Faites revenir à feu doux les oignons nouveaux, l'ail et le thym. Ajoutez les haricots, le bouillon et la crème fraîche. Portez à ébullition, puis baissez le feu et laissez mijoter 5 minutes.

Mixez la soupe. Si elle est épaisse, ajoutez un peu de crème fraîche ou de bouillon. Salez et poivrez.

Faites chauffer le reste d'huile dans une poêle à feu vif. Salez et poivrez les crevettes, puis faites-les revenir 4 minutes.

Dressez les crevettes au centre de 4 bols et versez la soupe autour. Garnissez d'un peu d'oignon nouveau haché et de ciboulette.

Pour des noix de Saint-Jacques sur un lit de purée de haricot blanc, faites chauffer un peu d'huile d'olive dans une casserole. Faites revenir doucement 1 oignon haché et 1 gousse d'ail écrasée. Ajoutez 800 g de haricots blancs en boîte égouttés et rincés, 50 ml de crème fraîche épaisse et réchauffez. Mixez jusqu'à obtention d'une purée grossière ou onctueuse, selon votre goût. Ajoutez un peu de crème fraîche si nécessaire, et assaisonnez. Faites chauffer 1 cuillerée à soupe d'huile d'olive dans une poêle à feu très vif. Assaisonnez 12 noix de Saint-Jacques nettoyées avec un peu de sel, de poivre et de curry doux, puis faites-les revenir 1 minute de chaque côté. Servez sur la purée de haricots blancs avec de la roquette assaisonnée d'un peu de jus de citron et d'huile d'olive.

lotte mijotée aux épices

Pour **4 personnes**
Préparation **10 minutes**
Cuisson **20 minutes**

2 c. à s. d'**huile végétale**
1 **oignon** finement haché
2 gousses d'**ail** écrasées
¼ de c. à c. de **piment en poudre**
1 c. à s. de **curry en poudre**
¼ de c. à c. de **curcuma**
1 c. à s. de **concentré de tomate**
400 g de **tomates** en boîte
100 ml de **bouillon de poulet** ou **de poisson** (voir page 15)
750 g de **queue de lotte** coupée en gros morceaux
400 g de **pois chiches** en boîte égouttés
1 c. à s. de **chutney de mangue maison** (voir page 122)
4 c. à s. de **yaourt nature**
1 grosse poignée de feuilles de **coriandre**
sel et **poivre**

Faites chauffer l'huile dans une grande casserole et faites revenir l'oignon doucement. Ajoutez l'ail, la poudre de piment, le curry et le curcuma, et faites cuire 2 minutes. Ajoutez le concentré de tomate, les tomates et le bouillon. Portez à ébullition, puis baissez le feu et laissez mijoter 10 minutes. Si c'est trop sec, ajoutez un peu de bouillon.

Incorporez la lotte et les pois chiches et portez à ébullition, puis baissez le feu et laissez cuire 5 minutes à frémissements. Enfin, incorporez le chutney de mangue, salez et poivrez. Servez dans des bols, agrémenté de 1 cuillerée de yaourt et de quelques feuilles de coriandre.

Pour des chapatis au cumin et au fenouil à servir en accompagnement, tamisez 100 g de farine ordinaire et 100 g de farine complète. Faites griller doucement 1 cuillerée à soupe de graines de cumin et 1 cuillerée à soupe de graines de fenouil dans une poêle, puis écrasez-les à l'aide d'un pilon dans un mortier. Ajoutez les épices écrasées dans la farine, avec une bonne pincée de sel. Incorporez suffisamment d'eau pour obtenir une pâte homogène. Enveloppez la pâte dans du film alimentaire et laissez reposer 1 heure. Faites chauffer une poêle à feu vif. Divisez le pâton en 8 morceaux et formez des boulettes. Abaissez 1 des boulettes pour former un disque fin et plat, puis placez-le dans la poêle pour 40 secondes, en le retournant plusieurs fois. Répétez l'opération avec le reste des boulettes de pâte. Gardez les chapatis au chaud dans un torchon propre.

bisque de crabe et croûtons à l'ail

Pour **4 personnes**
Préparation **12 minutes**
Cuisson **40 minutes**

les **carapaces** de 2 gros **crabes**
4 c. à s. d'**huile d'olive**
1 **oignon** haché
2 **carottes** hachées
2 branches de **céleri** hachées
1 feuille de **laurier**
2 c. à s. de **cognac**
4 **tomates mûres** grossièrement hachées
2 c. à c. de **concentré de tomate**
1 litre de **bouillon de poisson** (voir page 15)
2 gousses d'**ail** finement hachées
4 tranches de **pain blanc** épaisses, sans la croûte, coupées en cubes de 1 cm de côté
100 ml de **crème fraîche épaisse**
1 pincée de **poivre de Cayenne**
sel et **poivre**

Brisez les carapaces de crabe à l'aide du dos d'un gros couteau et d'un maillet.

Faites chauffer 2 cuillerées à soupe d'huile d'olive dans une grande casserole. Ajoutez l'oignon, les carottes, le céleri et le laurier, et faites revenir jusqu'à ce que le tout soit tendre mais pas coloré. Ajoutez les morceaux de carapace et faites cuire 2 à 3 minutes, puis incorporez le cognac, les tomates et le concentré de tomate.

Versez le bouillon, mélangez et portez à ébullition, puis baissez le feu et laissez mijoter 30 minutes.

Faites chauffer le reste d'huile dans une poêle et faites revenir l'ail 1 minute pour la parfumer, puis retirez et jetez l'ail. Ensuite, faites dorer les cubes de pain dans l'huile à l'ail.

Sortez les pinces de crabe de la casserole. Mettez le reste des morceaux de carapace et le liquide dans un mixeur ou un robot de cuisine, en plusieurs fois, puis mixez jusqu'à ce que vous obteniez des morceaux de carapace de 1 cm. Passez le tout dans un tamis fin tapissé d'un morceau de mousseline.

Remettez le liquide dans une casserole propre et portez à ébullition, puis ajoutez la crème fraîche et le poivre de Cayenne. Si vous voulez intensifier la saveur de la soupe, laissez-la mijoter pour la faire réduire. Assaisonnez de sel et de poivre et servez dans des bols, puis ajoutez les croûtons à l'ail.

potage au haddock fumé

Pour **4 personnes**
Préparation **15 minutes**
Cuisson **30 minutes**

4 gros **pains ronds blancs**
1 **œuf** légèrement battu
50 g de **beurre**
8 **oignons nouveaux** hachés
1 gousse d'**ail** écrasée
2 grosses **pommes de terre fermes** épluchées et détaillées en cubes
350 ml de **lait**
200 ml de **crème fraîche épaisse**
200 ml de **bouillon de poisson** (voir page 15)
250 g de **maïs doux** en boîte égoutté
500 g de **haddock fumé**, sans la peau et détaillé en gros morceaux
1 c. à s. d'**huile d'olive**
8 tranches de **bacon entrelardé** hachées
2 c. à s. de **persil** ciselé
sel et **poivre**

Découpez un chapeau sur les pains et retirez la mie pour obtenir un récipient et un couvercle. Faites-les cuire 25 minutes dans un four préchauffé à 160 °C. Badigeonnez l'intérieur avec l'œuf. Remettez-les au four pour 5 minutes afin de faire sécher de nouveau. Sortez-les du four et réservez.

Faites chauffer le beurre dans une grande casserole et faites revenir les oignons nouveaux. Ajoutez l'ail et les pommes de terre, et faites revenir encore 1 minute. Versez le lait, la crème fraîche et le bouillon. Portez à ébullition, puis baissez le feu et laissez mijoter 10 minutes : les pommes de terre doivent être presque cuites.

Ajoutez le maïs doux et le haddock fumé dans la casserole et laissez cuire 5 minutes à frémissements. Salez et poivrez.

Faites chauffer l'huile d'olive dans une poêle et faites dorer le bacon. Au moment de servir, placez les bols de pain dans des récipients creux. Versez la soupe dedans, puis parsemez de bacon et de persil.

Pour un potage aux palourdes, remplacez le haddock fumé par 1 kg de palourdes nettoyées (voir page 12). Faites chauffer une casserole à feu vif et versez-y 100 ml de vin blanc. Faites-y cuire les palourdes à couvert jusqu'à ce qu'elles s'ouvrent (jetez celles qui restent fermées). Égouttez les palourdes et sortez-en la moitié de leur coquille. Ajoutez toutes les palourdes ainsi que le maïs doux dans la soupe. Servez comme ci-dessus.

filets de bar et bouillon de légumes

Pour **4 personnes**
Préparation **5 minutes**
Cuisson **7 à 8 minutes**

750 ml de **bouillon de poulet** ou **de légumes** de bonne qualité
2 c. à s. d'**huile d'olive**
4 **filets de bar** d'environ 200 g chacun, avec la peau, désarêtés
1 bulbe de **fenouil** coupé en huit, feuilles réservées
12 **asperges fines**
150 g de **petits pois surgelés** décongelés
150 g de **fèves** écossées
1 petite poignée de feuilles de **menthe** déchirées
1 petite poignée de feuilles de **basilic** déchirées
sel et **poivre**

Portez le bouillon à ébullition dans une casserole.

Faites chauffer l'huile d'olive dans une poêle. Salez et poivrez les filets de bar et placez-les dans la poêle, peau vers le bas. Faites cuire 3 à 4 minutes jusqu'à ce que la peau soit croustillante, puis retournez-les et faites-les cuire 1 minute de l'autre côté.

Pendant ce temps, mettez le fenouil dans le bouillon et laissez mijoter 3 minutes. Ajoutez les asperges, les petits pois et les fèves dans la casserole et faites cuire 1 à 2 minutes. Assaisonnez de sel et de poivre.

Répartissez le bouillon de légumes dans 4 bols et parsemez de menthe et de basilic. Ajoutez le poisson et les feuilles de fenouil, puis servez.

Pour un bouillon thaï aux crevettes, décortiquez et déveinez 500 g de crevettes tigrées crues, en réservant les carapaces et les têtes. Faites chauffer 750 ml de bouillon de poisson (voir page 15) ou de bouillon de poulet dans une casserole. Ajoutez les carapaces et les têtes de crevette, 2 tiges de citronnelle grossièrement hachées, 5 cm de gingembre frais, 1 piment rouge séché et 2 feuilles de kaffir. Laissez infuser 30 minutes hors du feu. Passez le bouillon au tamis et remettez-le dans une casserole propre. Ajoutez les crevettes et faites-les pocher 3 à 4 minutes, jusqu'à ce qu'elles soient cuites. Ajoutez 125 g de pois mange-tout au dernier moment.

cocotte palourde-tomate-chorizo

Pour **4 personnes**
Préparation **15 minutes**
Cuisson **20 à 25 minutes**

300 g de **chorizo** coupé en morceaux
1 c. à c. de **graines de coriandre** écrasées
1 c. à s. de **graines de fenouil** écrasées
1 **oignon** finement haché
1 **piment rouge** épépiné et finement haché
2 gousses d'**ail** écrasées
50 ml de **vin blanc**
400 g de **tomates hachées** en boîte
200 ml de **bouillon de poisson** (voir page 15)
500 g de **palourdes** nettoyées (voir page 12)
quelques feuilles de **basilic** pour décorer

Faites chauffer une grande cocotte à feu vif. Ajoutez le chorizo et faites cuire jusqu'à ce que sa graisse se libère et qu'il commence à se colorer. Sortez le chorizo de la cocotte, en y laissant la graisse, et réservez-le.

Faites revenir les graines de coriandre et de fenouil dans la graisse de chorizo pendant 1 minute, puis ajoutez l'oignon et le piment et faites cuire en remuant, jusqu'à ce que l'oignon soit tendre mais pas coloré. Ajoutez l'ail et faites revenir encore 1 minute. Versez le vin et laissez bouillonner jusqu'à ce qu'il ne reste plus que 1 cuillerée à soupe de liquide. Incorporez les tomates et le bouillon, portez à ébullition et remettez le chorizo dans la cocotte. Ajoutez les palourdes, puis couvrez et faites cuire jusqu'à ce qu'elles s'ouvrent (jetez celles qui restent fermées).

Répartissez la préparation dans 4 assiettes creuses, décorez de quelques feuilles de basilic et servez avec du pain croustillant.

Pour du saint-pierre aux haricots, suivez la recette ci-dessus mais supprimez les palourdes et le chorizo. Ajoutez 400 g de haricots blancs en boîte et 400 g de haricots rouges en boîte, égouttés. Faites cuire les filets de 2 saint-pierre à la poêle et servez avec le ragoût de haricots.

seiche mijotée aux tomates

Pour **4 personnes**
Préparation **15 minutes**
Cuisson **1 h 10**

2 c. à s. d'**huile d'olive**
1 bulbe de **fenouil** finement haché
1 **oignon** finement haché
2 gousses d'**ail** écrasées
1 c. à s. de **paprika fumé**
1 c. à s. de **paprika**
2 c. à s. de **concentré de tomate**
400 g de **tomates hachées** en boîte
150 ml de **vin rouge**
1 kg de **seiche** nettoyée et coupée en lanières
400 g de **haricots blancs** en boîte égouttés
1 c. à c. de **sucre en poudre** (facultatif)
2 c. à s. de **persil** ciselé

Faites chauffer l'huile d'olive dans une grande casserole. Faites revenir le fenouil et l'oignon, jusqu'à ce que ce dernier soit tendre mais pas coloré. Ajoutez l'ail, la paprika fumé et le paprika, et faites revenir encore 1 minute. Incorporez le concentré de tomate, les tomates, le vin puis la seiche. Portez à ébullition puis baissez le feu, couvrez et laissez mijoter 1 heure, jusqu'à ce que la seiche soit tendre. Ajoutez un peu d'eau ou de bouillon si nécessaire.

Ajoutez les haricots blancs et réchauffez. Goûtez et ajoutez du sucre si nécessaire. Enfin, parsemez le persil et servez avec du pain chaud croustillant ou de la purée de pomme de terre au citron et au persil (voir ci-dessous).

Pour une purée de pomme de terre au citron et au persil à servir en accompagnement, épluchez 4 pommes de terre farineuses, coupez-les en morceaux et faites-les cuire dans de l'eau bouillante salée. Égouttez-les puis écrasez-les. Incorporez 125 g de beurre et assez de crème fraîche épaisse pour obtenir une purée très crémeuse. Râpez le zeste de 1 citron et incorporez-le à la purée, avec 2 cuillerées à soupe de persil ciselé. Assaisonnez de sel et de poivre à votre goût.

soupe aux wontons crevette-porc

Pour **4 personnes**
Préparation **25 minutes**
Cuisson **5 à 6 minutes**

100 g de **porc haché**
150 g de **crevettes crues** décortiquées
4 **oignons nouveaux** finement hachés
1 gousse d'**ail**
1 cm de **gingembre frais** épluché et haché
1 c. à s. de **sauce d'huître**
20 **feuilles de wonton**
750 ml de **bouillon de poulet**
1 **chou chinois** émincé
1 à 2 c. à s. de **sauce de poisson thaïe**

Pour servir
les feuilles de 1 petit bouquet de **coriandre**
1 **citron vert** coupé en quartiers (facultatif)
1 c. à s. de **graines de sésame**

Mixez le porc, les crevettes, 2 oignons nouveaux, l'ail, le gingembre et la sauce d'huître dans un robot.

Déposez 1 cuillerée à café de la pâte obtenue au milieu d'une feuille de wonton. Humectez les coins avec un peu d'eau et rassemblez-les, en recouvrant complètement la garniture pour former un petit balluchon. Répétez l'opération avec le reste des feuilles de wonton et de garniture.

Portez le bouillon à ébullition dans une grande casserole, puis baissez le feu. Ajoutez les wontons et laissez cuire 4 à 5 minutes. Sortez 1 wonton et vérifiez qu'il est ferme, ce qui signifie qu'il est cuit.

Ajoutez le chou dans la casserole et faites cuire 1 minute. Assaisonnez la soupe avec la sauce de poisson.

Répartissez la soupe dans 4 bols et servez avec des feuilles de coriandre et 1 quartier de citron vert. Parsemez de graines de sésame et des 2 oignons nouveaux restants.

Pour des wontons au sésame et un dip au soja, préparez les wontons comme ci-dessus, et faites-les cuire dans un cuit-vapeur en bambou 5 minutes. Sortez-les du cuit-vapeur et parsemez-les de graines de sésame. Préparez le dip en mélangeant 3 cuillerées à soupe de sauce soja claire, 2 cuillerées à café de gingembre frais râpé, 1 piment rouge coupé en fines rondelles et 1 cuillerée à soupe de sauce de poisson thaïe.

soupe thaïe à la noix de coco

Pour **4 personnes**
Préparation **20 minutes**
Cuisson **15 minutes**

200 g de **nouilles de riz**
3 c. à s. d'**huile végétale**
2 **échalotes** très finement hachées
1 **piment vert** épépiné et très finement haché
2 tiges de **citronnelle** (les deux tiers inférieurs seulement) très finement hachées
5 cm de **gingembre frais** épluché et râpé
400 ml de **lait de coco** en boîte
300 ml de **bouillon de poulet**
2 c. à s. de **sauce de poisson thaïe**
le **jus** de 1 ½ **citron vert**
1 c. à c. de **sucre roux**
400 g de **queue de lotte** coupée en gros morceaux
250 g de **moules** nettoyées (voir page 12)
4 **filets de rouget barbet** désarêtés
sel et **poivre**

Recouvrez les nouilles d'eau bouillante dans un saladier résistant à la chaleur. Laissez reposer 5 minutes puis égouttez.

Faites chauffer 2 cuillerées à soupe d'huile végétale dans une grande casserole. Faites revenir les échalotes, le piment, la citronnelle et le gingembre à feu doux. Ajoutez le lait de coco et le bouillon, portez à ébullition, puis baissez le feu et laissez mijoter 5 minutes. Ajoutez la sauce de poisson, le jus de 1 citron vert et le sucre.

Ajoutez les nouilles et la lotte dans la soupe et faites cuire 2 minutes. Ajoutez les moules et faites cuire jusqu'à ce qu'elles s'ouvrent.

Faites chauffer le reste d'huile dans une poêle. Salez et poivrez les filets de rouget barbet, et faites-les cuire 3 minutes, côté peau vers le bas. Retournez et poursuivez la cuisson 1 minute, puis arrosez du reste de jus de citron vert.

Répartissez la soupe dans 4 bols, ôtez les moules qui sont encore fermées et ajoutez le poisson.

Pour des moules au bouillon de safran, faites suer 1 oignon haché et 2 gousses d'ail hachées dans un peu d'huile, dans une casserole. Ajoutez 1 grand verre de vin blanc, 1 pincée de filaments de safran et 1,5 kg de moules nettoyées (voir page 12). Couvrez et faites cuire jusqu'à ce que les moules s'ouvrent. Ajoutez 200 ml de crème fraîche épaisse et 1 grosse poignée de persil ciselé, remuez bien et assaisonnez.

entrées & salades

filets de saumon et salade d'avocat

Pour **4 personnes**
Préparation **15 minutes**
Cuisson **10 à 12 minutes**

2 c. à s. d'**huile d'olive**
4 morceaux de **filet de saumon** d'environ 200 g chacun, avec la peau et désarêtés
1 grosse **orange**
2 c. à s. d'**huile d'olive vierge extra**
sel et **poivre**

Salade d'avocat
2 **avocats mûrs** épluchés et coupés en dés de 1 cm de côté
1 **piment rouge** épépiné et finement haché
le **jus** de 1 **citron vert**
1 c. à s. de **coriandre** grossièrement hachée
1 c. à s. d'**huile d'olive**
sel et **poivre**

Faites chauffer une petite poêle à feu vif puis ajoutez l'huile d'olive. Salez et poivrez le saumon et placez-le dans la poêle, peau vers le bas. Faites cuire 4 minutes, puis retournez et poursuivez la cuisson 2 minutes.

Faites chauffer une autre petite poêle. Coupez l'orange en deux et mettez les deux moitiés dans la poêle, côté coupé vers le bas. Saisissez-les jusqu'à ce qu'elles commencent à noircir. Sortez-les de la poêle, pressez-les puis versez le jus dans la poêle. Portez le jus à ébullition et faites-le réduire jusqu'à ce qu'il n'en reste plus que 1 cuillerée à soupe. Fouettez avec l'huile d'olive, salez et poivrez.

Placez les avocats dans un saladier, ajoutez le reste des ingrédients, salez et poivrez. Dressez la salade d'avocat au centre des assiettes. Disposez 1 morceau de saumon dessus et arrosez du jus d'orange réduit.

Pour du saumon et couscous à l'orange, faites cuire à la poêle 4 steaks de saumon comme ci-dessus. Portez 400 ml de jus d'oranges fraîchement pressées à ébullition dans une casserole, avec 2 cuillerées à soupe de raisins secs. Mettez 300 g de couscous dans un récipient résistant à la chaleur et versez le jus d'orange dessus. Couvrez de film alimentaire et laissez reposer 5 minutes, puis remuez avec une fourchette pour aérer les grains. Ajoutez 1 cuillerée à soupe d'huile d'olive, 1 grosse poignée de coriandre ciselée et 2 cuillerées à soupe de pignons de pin. Servez avec de la crème fraîche et le saumon chaud.

carrelet et salade de fenouil

Pour **4 personnes**
Préparation **20 minutes**
Cuisson **5 à 10 minutes**

Salade
1 bulbe de **fenouil** émincé
200 g de **petits pois surgelés** décongelés
200 g de **fèves** écossées
5 **radis** émincés
75 g de **cresson**

Vinaigrette
1 c. à s. de **moutarde à l'ancienne**
1 c. à c. de **miel liquide**
1 c. à s. de **vinaigre de vin blanc**
3 c. à s. d'**huile d'olive**
sel et **poivre**

Poisson
2 c. à s. d'**huile d'olive**
4 **filets de carrelet**, avec la peau et désarêtés
2 c. à s. de **farine** assaisonnée de **sel** et de **poivre**
1 **citron**

Mettez le fenouil dans un saladier avec les petits pois, les fèves, les radis et le cresson.

Préparez la vinaigrette en mélangeant la moutarde, le miel, le vinaigre et l'huile d'olive. Assaisonnez de sel et de poivre. Ajoutez assez de vinaigrette dans la salade pour enrober tous les ingrédients. Réservez pendant que vous faites cuire le poisson.

Faites chauffer un peu d'huile d'olive dans une poêle très chaude et saupoudrez les filets de carrelet de farine assaisonnée. Mettez les filets, peau vers le bas, dans la poêle. Faites cuire 3 minutes, puis retournez avec précaution et poursuivez la cuisson 2 minutes. (En fonction de la taille de votre poêle, il sera peut-être nécessaire de faire cuire le poisson en 2 fois.) Une fois le poisson cuit, arrosez de quelques gouttes de jus de citron pressé et servez avec la salade de fenouil.

Pour du saumon au miel et à la moutarde, mélangez 1 cuillerée à soupe bombée de moutarde à l'ancienne et 2 cuillerées à soupe de miel liquide. Versez sur 4 filets de saumon sans la peau et faites cuire 8 à 10 minutes dans un four préchauffé à 180 °C. Servez avec des pommes de terre nouvelles au beurre.

maquereau et betteraves rôties

Pour **4 personnes**
Préparation **15 minutes**
Cuisson **1 h 05**

4 petits **maquereaux** levés en filets
1 c. à s. d'**huile d'olive**
sel et **poivre**

Betteraves
2 grosses **betteraves** crues
2 gousses d'**ail** émincées
4 brins de **thym**
2 c. à s. d'**huile d'olive** + un peu pour arroser les betteraves rôties
sel et **poivre**

Crème au raifort (facultatif)
150 ml de **crème fraîche**
2 c. à s. de **mayonnaise**
2 c. à s. de **ciboulette** ciselée
1 à 2 c. à s. de **sauce au raifort**
sel et **poivre**

Lavez bien les betteraves. Enveloppez-les dans une papillote en papier d'aluminium avec l'ail, le thym, du sel et du poivre, et l'huile d'olive. Faites cuire 1 heure dans un four préchauffé à 180 °C, jusqu'à ce que vous puissiez facilement introduire un couteau au centre. Une fois que les betteraves sont assez froides pour être manipulées, épluchez-les. Détaillez-les en morceaux de la taille d'une bouchée, arrosez avec un peu d'huile d'olive et assaisonnez de sel et de poivre. Réservez.

Pour préparer la crème au raifort, mélangez tous les ingrédients et assaisonnez de sel et de poivre.

Placez les poissons sur une plaque de four antiadhésive, côté peau vers le haut. Badigeonnez la peau d'huile d'olive et saupoudrez de sel et de poivre. Faites cuire sous un gril préchauffé jusqu'à ce que la peau soit croustillante, environ 3 minutes, puis retournez les poissons avec précaution et poursuivez la cuisson 2 minutes de l'autre côté.

Servez les maquereaux avec les betteraves rôties et la crème au raifort.

Pour un pâté de maquereau fumé, mettez 300 g de maquereau fumé sans la peau dans un robot de cuisine, avec 3 cuillerées à soupe de crème fraîche et 2 cuillerées à soupe de sauce au raifort. Mixez jusqu'à homogénéité, puis incorporez du jus de citron à votre goût et assaisonnez de sel et de poivre. Servez avec des toasts.

huîtres farcies

Pour **4 personnes**
Préparation **25 minutes**
Cuisson **15 minutes**

12 **huîtres**
1 c. à c. de **graines de moutarde**
75 g de **beurre**
2 **échalotes** finement hachées
½ branche de **céleri** finement hachée
1 gousse d'**ail** écrasée
2 c. à s. de **vinaigre de vin blanc**
1 c. à c. de **Tabasco**
1 c. à s. de **ciboulette** ciselée
1 c. à s. de **persil plat** ciselé
une grande quantité de **sel de mer** et **poivre**

Enveloppez 1 huître dans un torchon épais et tenez-la fermement, côté bombé vers le bas. Enfoncez un couteau à huîtres dans le petit trou au niveau de la charnière. Faites pivoter le couteau pour sectionner le muscle, et séparez les coquilles. Jetez la coquille supérieure. Faites passer la lame du couteau sous l'huître pour la détacher (attention à ne pas renverser le jus). Déposez une couche de sel dans un plat à rôtir et calez-y l'huître. Répétez l'opération avec le reste des huîtres.

Faites cuire les graines de moutarde à sec dans une poêle. Ajoutez le beurre, les échalotes et le céleri, et faites cuire 3 minutes en remuant. Ajoutez l'ail, un peu de sel et de poivre, et faites revenir encore 2 minutes. Incorporez le vinaigre, le Tabasco et deux tiers de chaque herbe. Disposez la préparation sur les huîtres et faites cuire 5 à 8 minutes sous un gril préchauffé. Parsemez les huîtres du reste de ciboulette et de persil, puis servez.

Pour des huîtres à la sauce façon « bloody Mary », ouvrez les huîtres. Versez leur jus naturel dans un petit récipient et placez-les sur un plateau de service recouvert de sel de mer. Mélangez 6 cuillerées à soupe de jus de tomate avec le jus des huîtres. Ajoutez un peu de jus de citron pressé, une touche de Tabasco et de sauce Worcestershire. Mélangez bien et goûtez pour assaisonner. Versez un peu de la préparation à la tomate dans chaque coquille d'huître, puis saupoudrez d'un peu de sel au céleri. Servez immédiatement.

cabillaud et tomates rôties

Pour **4 personnes**
Préparation **15 minutes**
Cuisson **1 h 15**

4 **tomates mûres** coupées en deux
quelques brins de **thym**
2 c. à s. d'**huile d'olive**
4 **filets de cabillaud** d'environ 200 g chacun, avec la peau et désarêtés
4 tranches de **ciabatta**
1 gousse d'**ail**
sel et **poivre**

Assaisonnement
1 grosse poignée de **basilic**
4 c. à s. d'**huile d'olive**
2 c. à s. de **parmesan** fraîchement râpé + quelques copeaux pour servir (facultatif)

Mettez les tomates sur une plaque de four, assaisonnez de sel et de poivre, parsemez de brins de thym et arrosez de 1 cuillerée à soupe d'huile d'olive. Faites rôtir dans un four préchauffé à 160 °C pendant 1 heure, puis augmentez la température à 180 °C. Assaisonnez le cabillaud et faites-le rôtir avec les tomates dans le four pendant 10 à 12 minutes.

Badigeonnez les 2 côtés des tranches de ciabatta avec le reste d'huile. Préchauffez un gril en fonte et faites griller le pain des 2 côtés jusqu'à ce qu'il soit brun doré, puis frottez avec la gousse d'ail, des deux côtés également.

Placez les ingrédients pour l'assaisonnement dans un petit robot de cuisine et mixez jusqu'à homogénéité. (Vous pouvez aussi vous servir d'un mixeur plongeant.)

Déposez les tomates sur les toasts et servez avec le cabillaud. Arrosez d'un peu d'assaisonnement et garnissez de quelques copeaux de parmesan.

Pour des pâtes au cabillaud et aux tomates rôties, pendant la cuisson des tomates et du cabillaud, faites cuire 300 g de pâtes en suivant les instructions indiquées sur l'emballage, puis égouttez-les. Coupez les tomates rôties en petits morceaux et émiettez le cabillaud. Incorporez dans les pâtes chaudes avec un peu d'assaisonnement préparé comme ci-dessus.

salade de morue et chorizo

Pour **4 personnes**
Préparation **15 minutes**
+ trempage
Cuisson **20 minutes**

1 morceau de **morue** de 500 g
225 g de **chorizo** coupé en rondelles
1 **poivron rouge** évidé, épépiné et émincé
3 grosses poignées de **mesclun**
3 **oignons nouveaux** coupés en fines rondelles
200 g de **petits pois surgelés** décongelés
1 branche de **céleri** coupée en fines rondelles

Assaisonnement
1 c. à s. de **moutarde à l'ancienne**
1 c. à c. de **miel liquide**
4 c. à s. d'**huile d'olive**
1 c. à s. de **jus de citron**
sel et **poivre**

Faites tremper la morue dans de l'eau froide au moins 8 heures. Changez l'eau souvent. Recouvrez la morue d'eau froide dans une casserole. Portez à ébullition, et laissez mijoter 5 minutes. Détaillez le poisson en gros morceaux, ôtez les arêtes et la peau.

Faites chauffer une grande poêle à feu moyen. Faites dorer le chorizo 2 minutes. Retournez les rondelles de chorizo et ajoutez la morue. Le poisson et le chorizo doivent être croustillants. Sortez-les de la poêle à l'aide d'une écumoire. Faites revenir le poivron rouge 2 minutes dans la graisse de chorizo que vous aurez laissée dans la poêle, puis réservez-le.

Mélangez le mesclun, les oignons nouveaux, les petits pois et le céleri. Fouettez tous les ingrédients de l'assaisonnement et versez sur la salade. Dressez la salade sur des assiettes et ajoutez le chorizo, la morue et le poivron rouge.

Pour une salade de morue aux pois chiches, roquette et tomates, faites tremper la morue comme ci-dessus, puis coupez-la en morceaux de 5 cm. Faites chauffer 1 cuillerée à soupe d'huile d'olive dans une poêle. Ajoutez 300 g de tomates cerises coupées en deux et 1 gousse d'ail écrasée. Quand les tomates commencent à se défaire, ajoutez 400 g de pois chiches en boîte égouttés et 2 poignées de feuilles de roquette. Salez et poivrez. Faites chauffer un peu d'huile d'olive dans une autre poêle et faites dorer la morue, puis incorporez les tomates et les pois chiches.

roulade de saumon et cresson

Pour **4 à 6 personnes**
Préparation **30 minutes**
+ refroidissement
et réfrigération
Cuisson **25 à 30 minutes**

40 g de **beurre**
40 g de **farine ordinaire**
250 ml de **lait**
4 **œufs**, blancs
et jaunes séparés
75 g de **cresson**
grossièrement haché
+ quelques feuilles
pour décorer
le **zeste** râpé de 1 **citron vert**
3 c. à s. de **parmesan**
fraîchement râpé
sel et **poivre**
quartiers de **citron vert**
pour servir (facultatif)

Garniture
300 g de **filet de saumon**
désarêté et coupé en deux
200 ml de **crème fraîche**
2 c. à s. de **jus de citron**
vert fraîchement pressé
sel et **poivre**

Tapissez un plat à rôtir de 23 x 30 cm de papier sulfurisé. Faites fondre le beurre dans une casserole, incorporez la farine et remuez 1 minute. Versez le lait et portez à ébullition, tout en remuant, jusqu'à ce que le mélange épaississe. Retirez du feu et incorporez les jaunes d'œufs, le cresson, le zeste de citron vert, du sel et du poivre. Laissez refroidir 15 minutes.

Montez les blancs en neige ferme. Incorporez-en d'abord 1 grosse cuillerée dans la sauce refroidie, puis le reste. Mettez la préparation dans le plat à rôtir.

Faites cuire la roulade 15 à 20 minutes dans un four préchauffé à 180 °C. Couvrez avec un torchon propre et laissez refroidir au moins 1 heure.

Faites cuire le saumon à la vapeur 8 à 10 minutes. Laissez refroidir puis enlevez la peau et détaillez-le en morceaux. Mélangez bien la crème fraîche avec le jus de citron vert, du sel et du poivre.

Placez un gros morceau de papier sulfurisé sur le plan de travail, côté court parallèle à vous, et saupoudrez de parmesan. Retournez le plat à rôtir sur le papier, démoulez la roulade et enlevez le papier.

Étalez la préparation à la crème fraîche sur la roulade, puis ajoutez le saumon. Roulez en commençant par le côté court le plus proche de vous, en vous aidant du papier. Placez au réfrigérateur au moins 30 minutes, puis coupez la roulade en tranches épaisses. Garnissez de cresson et de quartiers de citron vert.

salade niçoise au riz sauvage

Pour **3 à 4 personnes**
Préparation **20 minutes**
+ refroidissement
Cuisson **25 minutes**

100 g de **riz sauvage**
150 g de **haricots verts** coupés en deux
300 g de gros **filets de maquereau** désarêtés
6 c. à s. d'**huile d'olive**
12 **olives noires**
8 **filets d'anchois** en boîte égouttés et coupés en deux
250 g de **tomates cerises** coupées en deux
3 **œufs durs** coupés en quatre
1 c. à s. de **jus de citron**
1 c. à s. de **moutarde douce**
2 c. à s. de **ciboulette** ciselée
sel et **poivre**

Faites cuire le riz sauvage dans un grand volume d'eau bouillante pendant 20 à 25 minutes, jusqu'à ce qu'il soit tendre. (Les grains vont commencer à se fendre lorsqu'ils seront juste cuits.) Ajoutez les haricots verts et faites cuire pendant 2 minutes.

Pendant ce temps, déposez les filets de maquereau sur une grille tapissée de papier d'aluminium et badigeonnez-les de 1 cuillerée à soupe d'huile d'olive. Faites cuire sous un gril préchauffé 8 à 10 minutes. Laissez refroidir.

Égouttez le riz et les haricots verts, puis mélangez-les dans un saladier avec les olives, les anchois, les tomates et les œufs. Émiettez les filets de maquereau, en retirant les éventuelles arêtes restantes, et ajoutez-les dans le saladier.

Mélangez le reste d'huile avec le jus de citron, la moutarde, la ciboulette, un peu de sel et de poivre, et versez dans le saladier. Remuez légèrement les ingrédients, couvrez et placez au réfrigérateur jusqu'au moment de servir.

Pour une salade niçoise au thon et au riz sauvage, remplacez les filets de maquereau par 4 steaks de thon frais de 200 g chacun et faites-les cuire dans un peu d'huile d'olive, 2 à 3 minutes de chaque côté : ils doivent être juste rosés au centre. Terminez la recette comme indiqué ci-dessus.

rillettes de thon et pain au levain

Pour **4 personnes**
Préparation **10 minutes**
Cuisson **5 minutes**

370 g de **thon au naturel** en boîte
3 c. à s. de **mayonnaise**
1 c. à s. de **ketchup**
2 c. à s. de **jus de citron**
1 c. à s. de **persil** ciselé
1 **pain au levain** coupé en fines tranches
50 g de **beurre**
1 c. à s. d'**huile d'olive**
1 c. à s. de **vinaigre balsamique**
75 g de feuilles de **roquette** lavées et essorées
2 c. à s. de **câpres** grossièrement hachées
10 **tomates semi-séchées** coupées en deux
10 **olives noires dénoyautées** coupées en deux
sel et **poivre**

Égouttez le thon et placez-le dans un petit robot, avec la mayonnaise, le ketchup et le jus de citron. Mixez jusqu'à homogénéité, puis incorporez le persil et assaisonnez de sel et de poivre. Vous pouvez aussi mélanger les ingrédients avec une fourchette. Répartissez les rillettes dans des récipients individuels.

Faites griller les tranches de pain sur un gril en fonte préchauffé ou sous un gril du four préchauffé. Tartinez-les de beurre.

Mélangez l'huile d'olive et le vinaigre et versez-en un peu sur la roquette. Ajoutez les câpres, les tomates semi-séchées et les olives.

Servez les ramequins de rillettes au thon avec des toasts beurrés chauds et de la salade de roquette.

Pour du thon et une salsa de tomates semi-séchées et d'olives, assaisonnez 4 steaks de thon frais et badigeonnez-les légèrement d'huile d'olive. Saisissez-les sur un gril en fonte chaud pendant 2 à 3 minutes de chaque côté. Mélangez 20 tomates semi-séchées et 20 olives noires dénoyautées et coupées en deux avec 1 cuillerée à soupe de petites câpres, 1 cuillerée à soupe de vinaigre balsamique et 2 cuillerées à soupe d'huile d'olive. Assaisonnez de sel et de poivre et servez avec le thon.

filets de mulet, légumes et pancetta

Pour **4 personnes**
Préparation **8 minutes**
Cuisson **10 à 12 minutes**

4 **filets de mulet** d'environ 175 g chacun, avec la peau et désarêtés
1 c. à s. d'**huile d'olive**
200 g de **pancetta** ou de **bacon entrelardé** détaillés en dés
2 petites **sucrines**
200 g de **petits pois surgelés** décongelés
quelques brins de **thym**
50 ml de **vin blanc** ou d'**eau**
20 g de **beurre**
sel et **poivre**

Assaisonnez les filets de mulet et faites-les cuire dans un cuit-vapeur pendant 4 à 5 minutes, jusqu'à ce qu'ils soient opaques.

Faites chauffer une poêle à feu vif et ajoutez l'huile d'olive. Faites revenir les dés de pancetta ou de bacon jusqu'à ce qu'ils soient croustillants, puis sortez-les de la poêle et réservez.

Ôtez les feuilles extérieures des sucrines, puis coupez-les en six. Mettez-les avec les petits pois, le thym et le vin dans la poêle et portez à légère ébullition jusqu'à ce que la laitue se soit légèrement attendrie. Incorporez le beurre et assaisonnez de sel et de poivre.

Répartissez la préparation aux petits pois dans 4 bols peu profonds et ajoutez le mulet dessus, ainsi que quelques dés de pancetta ou de bacon croustillants.

Pour un bouillon de sucrine, ajoutez 500 ml de bouillon de poulet ou de bouillon de poisson (voir page 15) dans la poêle avec les petits pois, les sucrines et le vin. Pour finir, parsemez de menthe ciselée et servez avec du pain croustillant.

steaks de thon aux légumes verts

Pour **4 personnes**
Préparation **8 minutes**
Cuisson **15 minutes**

500 g de **pommes de terre nouvelles**
250 g de **haricots verts fins** équeutés
200 g de **bimi** (une variété issue du croisement entre un brocoli et un chou chinois)
4 **steaks de thon** frais d'environ 175 g chacun
1 c. à s. d'**huile d'olive**
50 g de **noisettes grillées** grossièrement hachées
sel et **poivre**

Assaisonnement
4 c. à s. d'**huile de noisette**
1 c. à s. de **jus de citron**
1 c. à c. de **moutarde de Dijon**
sel et **poivre**

Faites cuire les pommes de terre, les haricots verts et le bimi dans de l'eau légèrement salée, jusqu'à ce que les légumes soient tendres mais encore légèrement croquants. Plongez-les ensuite dans de l'eau glacée pour arrêter la cuisson. Égouttez et coupez les pommes de terre en quartiers, dans le sens de la longueur.

Mélangez tous les ingrédients de l'assaisonnement, salez et poivrez.

Faites chauffer fortement un gril en fonte. Assaisonnez les steaks de thon et badigeonnez-les bien d'huile d'olive. Placez-les sur le gril et saisissez-les pendant 1 minute, puis retournez-les et poursuivez la cuisson 1 minute (ou plus, si vous préférez le thon bien cuit plutôt que rosé).

Mélangez les pommes de terre, les haricots et le bimi dans un saladier, puis versez l'assaisonnement. Parsemez de noisettes et servez avec le thon.

Pour des haricots verts à l'asiatique à servir en accompagnement à la place du mélange de légumes, mélangez 1 cuillerée à soupe d'huile de sésame, 2 cuillerées à café de sauce soja claire, 1 piment épépiné et finement haché, 1 cuillerée à café de miel liquide et 1 cuillerée à soupe de coriandre ciselée. Faites cuire 500 g de haricots verts équeutés dans de l'eau bouillante salée, comme indiqué ci-dessus. Égouttez les haricots et mélangez-les avec l'assaisonnement pendant qu'ils sont encore chauds.

saumon et coleslaw asiatique

Pour **4 personnes**
Préparation **20 à 25 minutes** + réfrigération
Cuisson **5 minutes**

1 c. à s. de **graines de coriandre**
1 c. à s. de **graines de cumin**
500 g de **filet de saumon épais** désarêté et sans la peau
1 c. à s. d'**huile d'olive**
200 g de **chou blanc** coupé en fines lamelles
200 g de **carottes** râpées
1 poignée de **pois mange-tout** coupés en trois, en biais
1 **piment vert** épépiné et finement haché
1 poignée de feuilles de **coriandre**
50 g de **noix de cajou grillées** grossièrement hachées (facultatif)
sel de mer et **poivre**

Assaisonnement
le **jus** de 2 **citrons verts**
1 c. à s. d'**huile de sésame**
2 c. à c. de **sucre de palme** ou de **sucre roux**
1 c. à c. de **sauce soja claire**
1 c. à s. de **sauce de poisson thaïe**

Faites griller les graines de coriandre et de cumin dans une petite poêle quelques minutes à feu moyen, jusqu'à ce qu'elles soient odorantes, en faisant attention à ce qu'elles ne brûlent pas. Écrasez-les légèrement, avec un peu de sel de mer et de poivre, avec un pilon dans un mortier, puis frottez le saumon avec ce mélange.

Faites chauffer l'huile d'olive dans une poêle jusqu'à ce qu'elle fume. Saisissez rapidement le saumon pendant 20 secondes de tous les côtés. Sortez-le de la poêle et placez-le au congélateur pour 20 minutes.

Mélangez tous les ingrédients de l'assaisonnement. Mélangez le chou, les carottes, les pois mange-tout, le piment et les feuilles de coriandre dans un grand saladier. Versez assez d'assaisonnement pour enrober tous les légumes.

Coupez le saumon en tranches fines avec un couteau très tranchant. Couvrez le fond d'un grand plat avec le saumon, dressez le coleslaw au centre ou dans un bol à côté et parsemez de noix de cajou, si vous le souhaitez.

Pour un coleslaw à l'indienne, mélangez 200 g de chou blanc coupé en fines lamelles, 200 g de carottes râpées, 1 cuillerée à soupe de sauce à la menthe et 100 ml de yaourt nature. Assaisonnez bien et parsemez de quelques noix grillées. Servez avec du poisson blanc poêlé (du rouget barbet par exemple).

saint-jacques à la morcilla

Pour **6 personnes**
Préparation **10 minutes**
Cuisson **5 minutes**

6 grosses **noix de Saint-Jacques** nettoyées (voir page 12), de préférence dans leur coquille
25 g de **morcilla** (charcuterie à base de sang de porc)
2 c. à s. d'**huile d'olive**
1 **oignon nouveau** coupé en fines rondelles
1 c. à c. de **thym citron** ciselé
sel et **poivre**

Séchez les noix de Saint-Jacques en les tapotant avec du papier absorbant, et assaisonnez légèrement de sel et de poivre. Hachez finement la morcilla.

Faites chauffer l'huile d'olive dans une petite poêle et faites revenir doucement les noix de Saint-Jacques, pendant 1 minute de chaque côté. Transvasez-les dans les coquilles nettoyées, ou dans des petits récipients de service chauds si elles étaient vendues décoquillées.

Ajoutez l'oignon nouveau, le thym citron et la morcilla dans la poêle et faites cuire doucement, en remuant, pendant 1 minute. Assaisonnez légèrement de sel et de poivre, et disposez sur les coquilles Saint-Jacques en arrosant de jus de cuisson au moment de servir.

Pour une sauce au yaourt et à la coriandre à servir en accompagnement, mixez 150 ml de yaourt épais à la grecque avec 1 piment vert et 1 gros bouquet de coriandre, dans un petit robot de cuisine. Assaisonnez de sel et de poivre à votre goût, puis versez sur les noix de Saint-Jacques et la morcilla.

soufflés au haddock fumé

Pour **4 personnes**
Préparation **10 minutes**
+ refroidissement
Cuisson **30 minutes**

30 g de **beurre**
+ un peu pour graisser les ramequins
30 g de **farine**
150 ml de **lait**
2 **œufs**, blancs et jaunes séparés
150 g de **haddock fumé** légèrement cuit coupé en morceaux
+ 50 g pour décorer
150 ml de **crème fraîche épaisse**
sauce hollandaise au citron pour servir (voir ci-contre)

Faites fondre le beurre dans une casserole à feu doux, ajoutez la farine et remuez sans cesse 1 minute. Hors du feu, incorporez le lait en fouettant. Remettez sur feu doux et portez à ébullition, en remuant sans cesse, puis baissez le feu et laissez frémir 1 minute. Laissez refroidir légèrement avant d'incorporer les jaunes d'œufs en battant. Incorporez les morceaux de haddock.

Montez les blancs d'œufs en neige ferme, puis incorporez-les dans la préparation au poisson. Beurrez 4 ramequins et remplissez-les aux trois quarts. Placez-les dans un plat à rôtir rempli d'eau bouillante jusqu'au tiers de la hauteur des ramequins. Faites cuire 12 à 15 minutes dans un four préchauffé à 180 °C, puis sortez-les du four et de l'eau, et laissez refroidir.

Démoulez les soufflés et disposez-les dans des plats de service. Versez la crème fraîche dessus et remettez dans le four 10 minutes pour réchauffer. Parsemez de morceaux de haddock et servez avec de la sauce hollandaise au citron (voir ci-dessous).

Pour une sauce hollandaise au citron à servir en accompagnement, faites fondre 200 g de beurre dans une petite casserole. Placez 2 jaunes d'œufs et le zeste de 1 citron dans un robot de cuisine. Lorsque le beurre est sur le point de bouillir, mettez le robot en route et versez-le dans la cheminée en filet régulier. Quand tout le beurre a été incorporé, éteignez le robot, ajoutez 2 cuillerées à soupe de jus de citron, salez et poivrez. Mixez encore une fois puis servez.

croquettes de crabe à la thaïe

Pour **4 personnes**
Préparation **20 minutes**
Cuisson **8 minutes**

625 g de **chair de crabe**
400 g de **pommes de terre farineuses** cuites et écrasées en purée
2,5 cm de **gingembre frais** épluché et finement râpé
le **zeste** râpé de 1 **citron vert**
1 **piment rouge** épépiné et finement haché
1 c. à s. de **mayonnaise**
5 c. à s. d'**huile végétale**
sel et **poivre**

Salsa
400 g de **haricots cornille** en boîte égouttés
1 **poivron rouge** évidé, épépiné et coupé en petits dés
300 g de **maïs doux** en boîte égoutté
3 c. à s. de **jus de citron vert**
2 c. à s. d'**huile d'olive**
2 c. à s. de **coriandre** ciselée
sel et **poivre**

Mélangez la chair de crabe, la purée de pomme de terre, le gingembre, le zeste de citron vert, le piment et la mayonnaise. Assaisonnez la préparation avec du sel et du poivre. Divisez en 12 portions et formez des croquettes avec vos mains.

Faites chauffer l'huile végétale dans une poêle et faites cuire les croquettes 3 à 4 minutes de chaque côté, jusqu'à ce qu'elles soient dorées.

Préparez la salsa en mélangeant les haricots cornilles, le poivron rouge et le maïs doux. Versez le jus de citron vert et l'huile d'olive. Assaisonnez de sel et de poivre, ajoutez la coriandre ciselée et remuez.

Pour des croquettes de saumon au citron, mélangez 400 g de pommes de terre farineuses cuites et écrasées en purée avec 400 g de filet de saumon poché détaillé en morceaux, ainsi que le zeste râpé de 2 citrons et 1 cuillerée à soupe de mayonnaise. Assaisonnez avec du sel et du poivre. Formez des croquettes avec la préparation, comme ci-dessus, et faites-les cuire dans un peu d'huile d'olive jusqu'à ce qu'elles soient croustillantes.

tarte au maquereau et aux asperges

Pour **4 personnes**
Préparation **20 minutes**
+ réfrigération
Cuisson **30 à 35 minutes**

8 **asperges** parées et blanchies
250 g de **maquereau fumé**, sans la peau, émietté
2 **œufs**
100 ml de **lait**
100 ml de **crème fraîche épaisse**
sel et **poivre**

Pâte
200 g de **farine** + un peu pour le plan de travail
75 g de **beurre demi-sel** froid coupé en dés
1 **œuf** + 1 **jaune d'œuf**

Mixez dans un robot la farine, le beurre, l'œuf et le jaune d'œuf, jusqu'à la formation d'une pâte souple. Si la pâte ne forme pas une boule, ajoutez quelques gouttes d'eau froide. Sortez-la du robot et pétrissez-la 1 minute pour qu'elle soit lisse. Enveloppez-la dans du film alimentaire, puis placez-la au réfrigérateur pour au moins 30 minutes.

Abaissez la pâte à 3 mm d'épaisseur sur un plan de travail fariné, puis foncez-en un moule à tarte cannelé de 25 cm de diamètre. Retirez tout excédent de pâte. Réfrigérez le fond de tarte 1 heure.

Tapissez le fond de tarte d'un disque de papier sulfurisé, couvrez de haricots secs puis placez dans un four préchauffé à 180 °C pour 10 à 12 minutes. Sortez du four et enlevez le papier sulfurisé et les haricots. Remettez dans le four pour encore 2 minutes.

Coupez chaque asperge en trois, en biais. Garnissez le fond de tarte de maquereau et d'asperges. Mélangez les œufs, le lait et la crème fraîche, salez et poivrez. Versez la préparation obtenue sur le fond de tarte et faites cuire 20 à 25 minutes.

Pour une tarte au saumon fumé et aux petits pois, remplacez le maquereau fumé et les asperges par 400 g de saumon fumé détaillé en lanières, 200 g de petits pois surgelés décongelés et 2 cuillerées à soupe d'aneth ciselé. Assaisonnez avec seulement du poivre.

filets de bar à la sauce vierge

Pour **4 personnes**
Préparation **20 minutes**
Cuisson **5 minutes**

1 c. à s. d'**huile d'olive**
4 **filets de bar** d'environ 175 g chacun, avec la peau et désarêtés
feuilles de **roquette**
sel et **poivre**

Sauce vierge
4 **tomates mûres** sans la peau, épépinées et détaillées en petits dés
1 **échalote** coupée en petits dés
2 c. à s. d'**huile d'olive**
quelques gouttes de **jus de citron**
quelques feuilles de **basilic** coupées en fines lanières
sel et **poivre**

Mélangez les tomates et l'échalote, puis versez l'huile d'olive et remuez doucement. Ajoutez du jus de citron, du sel et du poivre à votre goût, puis les feuilles de basilic juste avant de servir.

Faites chauffer l'huile d'olive dans une poêle à feu vif. Assaisonnez les filets de bar avec du sel et du poivre. Lorsque la poêle est chaude, faites-les cuire pendant 3 à 4 minutes, côté peau vers le bas, jusqu'à ce que la peau soit dorée et croustillante. Retournez-les et poursuivez la cuisson 1 minute, puis sortez-les de la poêle et servez avec la sauce vierge et les feuilles de roquette.

Pour une salsa verde à servir en accompagnement à la place de la sauce vierge, mélangez 5 cuillerées à soupe de feuilles de persil ciselées, 1 cuillerée à soupe de feuilles de basilic ciselées, 2 cuillerées à soupe de feuilles de menthe ciselées, 1 cuillerée à café de moutarde de Dijon, 3 filets d'anchois en conserve finement hachés, 1 cuillerée à café de câpres hachées et 1 gousse d'ail écrasée. Incorporez 100 ml d'huile d'olive. Assaisonnez à votre goût et servez avec du bar ou un autre poisson poêlé.

calamars citron-câpres

Pour **4 personnes**
Préparation **10 minutes**
+ marinade
Cuisson **5 minutes**

8 petits **calamars** ou 4 gros, nettoyés (voir page 12) et coupés en deux dans le sens de la longueur, sans les tentacules
2 c. à s. d'**huile d'olive**
1 c. à c. de **cumin moulu**
le **zeste** râpé et le **jus** de 1 **citron**
50 ml de **vin blanc**
2 c. à s. de **câpres**
sel et **poivre**

Ouvrez les calamars et séchez-les en les tapotant avec du papier absorbant. Étalez-les sur une planche à découper, côté brillant vers le bas, et incisez légèrement la chair en croisillons à l'aide d'un couteau tranchant, sans la transpercer. Mettez les calamars dans un récipient non métallique avec l'huile d'olive, le cumin, le zeste de citron, la moitié du jus de citron et un peu de poivre (pas de sel). Laissez mariner au moins 30 minutes ou toute la nuit au réfrigérateur.

Faites chauffer une poêle. Quand elle est très chaude, faites cuire les calamars en plusieurs fois, côté incisé vers le bas, 1 à 2 minutes, jusqu'à ce qu'ils deviennent blancs et non plus transparents. Sortez-les de la poêle et gardez-les au chaud pendant que vous faites cuire le reste des calamars.

Remettez la poêle sur le feu et déglacez-la avec le vin. Laissez le vin bouillir 1 minute pour que l'alcool s'évapore. Retirez la poêle du feu et ajoutez le reste du jus de citron puis les câpres. Assaisonnez les calamars avec du sel et du poivre, et arrosez de jus de cuisson avant de servir.

Pour une salade d'herbes à servir en accompagnement, mélangez 1 grosse poignée de feuilles de persil avec 1 petite poignée de feuilles de menthe et 1 petite poignée de feuilles de coriandre dans un saladier. Dans un autre récipient, mélangez 2 cuillerées à soupe de jus de citron, 2 cuillerées à soupe d'huile d'olive et 1 gousse d'ail écrasée. Versez l'assaisonnement.

3.5
28
8
3
24
7
2.5
20
6
2
16
5
4
12
3
8
2
1

pâtes, riz,
lentilles...

riz pilaf au haddock fumé

Pour **4 personnes**
Préparation **5 minutes**
Cuisson **18 à 20 minutes**

50 g de **beurre**
6 **oignons nouveaux** hachés
2 c. à s. de **curry doux en poudre**
300 g de **riz basmati**
300 ml de **bouillon de poulet**
250 g de **haddock fumé**, sans la peau, détaillé en morceaux
200 ml de **crème fouettée**
3 c. à s. de **persil** ciselé
1 c. à s. de **vinaigre de vin blanc** ou **de malt**
4 gros **œufs** très frais
1 **citron** coupé en quartiers
sel et **poivre**
chutney de mangue pour servir

Faites fondre le beurre dans une grande casserole à feu moyen. Faites revenir les oignons nouveaux. Ajoutez le curry en poudre et faites revenir 1 minute. Versez le riz et remuez. Versez le bouillon, portez à ébullition, puis laissez cuire le riz 7 à 10 minutes. Ajoutez le haddock fumé, la crème fouettée et le persil. Faites cuire 2 minutes : le poisson doit être ferme. Salez et poivrez.

Portez à ébullition une grande casserole d'eau. Ajoutez le vinaigre et 1 pincée de sel. Remuez le liquide en tournant, puis cassez le premier œuf au milieu du tourbillon formé. Baissez le feu et laissez frémir 2 à 3 minutes, jusqu'à ce que le blanc d'œuf soit pris mais le jaune encore coulant. Sortez l'œuf de la casserole à l'aide d'une écumoire et plongez-le dans un récipient rempli d'eau glacée pour arrêter la cuisson. Répétez l'opération avec les autres œufs. Une fois que tous les œufs sont cuits, faites à nouveau frémir l'eau et réchauffez-y les œufs 1 minute.

Servez le riz pilaf avec les œufs pochés, 1 quartier de citron et un peu de chutney de mangue.

Pour un chutney de mangue à servir en accompagnement, faites dissoudre 200 g de sucre en poudre avec 125 ml de vinaigre de vin blanc dans une casserole. Ajoutez la chair de 2 mangues coupée en dés, ½ piment rouge haché, 1 gousse d'ail écrasée et 4 cuillerées à soupe de jus de citron. Portez à ébullition puis baissez le feu et laissez mijoter 30 minutes. Versez dans un bocal stérilisé et scellez.

saint-jacques et lentilles au curry

Pour **4 personnes**
Préparation **10 minutes**
Cuisson **20 à 25 minutes**

250 g de **lentilles corail**
5 c. à s. d'**huile d'olive**
25 g de **beurre**
1 **oignon** finement haché
1 **aubergine** détaillée en dés de 1 cm de côté
1 gousse d'**ail** écrasée
1 c. à s. de **curry en poudre**
1 c. à s. de **persil** ciselé
12 grosses **noix de Saint-Jacques** nettoyées (voir page 12), sans le corail (facultatif)
4 c. à s. de **yaourt à la grecque**
sel et **poivre**

Faites cuire les lentilles à l'eau, puis égouttez-les.

Faites chauffer 1 cuillerée à soupe d'huile d'olive et le beurre dans une poêle à feu moyen. Faites revenir l'oignon doucement 10 minutes, puis sortez-le de la poêle et augmentez le feu à vif. Ajoutez encore 2 cuillerées à soupe d'huile dans la poêle et faites revenir l'aubergine, en plusieurs fois.

Remettez l'oignon dans la poêle avec l'ail, le curry et les lentilles cuites. Réchauffez le tout 1 minute, en remuant. Salez et poivrez, puis incorporez le persil.

Faites chauffer une poêle à feu vif et ajoutez le reste d'huile. Salez et poivrez les saint-jacques, puis faites-les cuire 1 minute de chaque côté. Servez immédiatement avec les lentilles au curry et le yaourt à la grecque.

Pour des saint-jacques aux pois cassés et aux épinards, faites cuire 250 g de pois cassés jaunes, égouttez et réservez. Faites revenir 1 oignon haché et 1 gousse d'ail écrasée dans un peu d'huile végétale. Ajoutez 1 cuillerée à café de curry en poudre, 1 cuillerée à café de garam masala et 1 pincée de curcuma, et faites revenir 1 minute. Incorporez les pois cassés, avec un peu d'eau ou de bouillon de poulet. Ajoutez 500 g de petits épinards lavés et mélangez jusqu'à ce qu'ils soient flétris. Faites cuire les saint-jacques comme ci-dessus, en saupoudrant chacune d'un peu de curry. Servez avec les pois cassés et les épinards.

risotto aux crevettes

Pour **4 personnes**
Préparation **10 minutes**
Cuisson **25 à 30 minutes**

2 c. à s. d'**huile d'olive**
1 petit **oignon** finement haché
1 gousse d'**ail** écrasée
375 g de **riz à risotto**
250 ml de **vin blanc**
environ 1,5 litre de **bouillon de poulet** ou **de poisson** chaud (voir page 15)
20 grosses **crevettes crues** décortiquées
1 grosse **courgette** ou 2 petites, coupées en fines rondelles
200 g de **petits pois**, décongelés s'ils sont surgelés et blanchis s'ils sont frais
50 g de **beurre**
2 c. à s. de **menthe** ciselée
le **zeste** râpé de 1 **citron** + le **jus** de ½ **citron**
sel et **poivre**

Faites chauffer l'huile d'olive dans une casserole et faites-y revenir l'oignon. Ajoutez l'ail et le riz, et remuez 2 minutes. Versez le vin et laissez bouillonner jusqu'à ce qu'il ne reste plus que 1 cuillerée à soupe de liquide.

Ajoutez le bouillon à feu moyen, 1 louchée à la fois, sans cesser de remuer. Attendez que chaque louchée soit absorbée avant d'ajouter la suivante. Continuez à ajouter du bouillon jusqu'à ce que le riz soit cuit mais encore un peu croquant. Cela devrait prendre 15 à 20 minutes.

Ajoutez les crevettes et la courgette juste avant d'incorporer les 2 dernières louchées de bouillon. Faites cuire les crevettes 3 minutes. Incorporez les petits pois, le beurre, la menthe et le zeste de citron. Salez, poivrez et arrosez de jus de citron.

Pour un risotto au vin rouge et aux calamars, faites revenir 1 oignon émincé, 2 branches de céleri émincées et 2 gousses d'ail écrasées dans un peu d'huile d'olive. Ajoutez 375 g de riz à risotto et faites revenir 1 minute. Versez 250 ml de vin rouge, portez à ébullition, puis baissez le feu et laissez cuire à frémissements. Ajoutez environ 1,5 litre de bouillon de poisson (voir page 15) à feu moyen, louchée par louchée. Continuez à ajouter du bouillon jusqu'à ce que le riz soit cuit mais encore un peu croquant. Incorporez 50 g de beurre et 500 g de calamars nettoyés (voir page 12) coupés en anneaux (jetez les tentacules), et faites cuire 2 minutes. Parsemez de ciboulette ciselée avant de servir.

sole et salade de boulgour

Pour **4 personnes**
Préparation **12 minutes**
+ repos
Cuisson **2 h 05**

2 **poivrons rouges** évidés, épépinés et coupés en lamelles
16 **tomates cerises** coupées en deux
2 gousses d'**ail** émincées
4 c. à s. d'**huile d'olive** + un filet pour servir
200 g de **boulgour**
2 c. à s. de **jus de citron**
1 petite **sucrine**
10 **olives noires kalamata dénoyautées**
2 c. à s. de **ciboulette** ciselée
2 grosses **soles** levées en filets et désarêtées
sel et **poivre**

Couvrez le fond d'un petit plat allant au four avec les poivrons rouges et disposez les tomates par-dessus. Salez et poivrez, puis parsemez d'ail. Arrosez de 2 cuillerées à soupe d'huile et placez dans un four préchauffé à 150 °C pour 2 heures.

Recouvrez le boulgour d'eau bouillante dans un récipient résistant à la chaleur. Couvrez avec du film alimentaire et laissez reposer 15 minutes. Égouttez bien. Ajoutez le jus de citron, salez et poivrez. Gardez au chaud.

Détachez les feuilles de sucrine et mélangez-les avec les poivrons rôtis, le boulgour, les olives, la ciboulette et le reste d'huile d'olive. Incorporez les tomates rôties.

Tapissez une plaque de four de papier d'aluminium. Assaisonnez les filets de sole et déposez-les sur le papier d'aluminium, côté chair vers le bas. Faites cuire sous un gril préchauffé 4 à 5 minutes, puis retournez le poisson et grillez-le encore 2 minutes.

Servez le poisson avec la salade de boulgour chaude et arrosez d'un filet d'huile d'olive.

Pour une sole à la sauce aux poivrons rouges et tomates, faites cuire les tomates et les poivrons comme ci-dessus. Mixez-les dans un robot jusqu'à obtenir une sauce homogène. Incorporez 1 cuillerée à soupe d'huile d'olive et 1 poignée de feuilles de basilic ciselées. Servez avec la sole, grillée comme ci-dessus, et des pommes de terre sautées.

pâtes à la truite fumée et au citron

Pour **4 personnes**
Préparation **4 minutes**
Cuisson **8 à 10 minutes**

350 g de **farfalles**
1 c. à s. d'**huile d'olive**
1 **oignon** émincé
500 g de **truite fumée**
le **zeste** râpé de 1 **citron**
200 g de **crème fraîche**
2 c. à s. d'**aneth** ciselé
sel et **poivre**

Faites cuire les pâtes en suivant les instructions sur l'emballage.

Faites chauffer l'huile d'olive dans une poêle, faites-y revenir l'oignon jusqu'à ce qu'il soit tendre et translucide, mais pas coloré. Retirez la poêle du feu et ajoutez la truite fumée, le zeste de citron, la crème fraîche et l'aneth.

Égouttez les pâtes, en réservant 2 cuillerées à soupe de l'eau de cuisson. Incorporez les pâtes et l'eau dans la sauce. Assaisonnez de sel et de poivre, et servez immédiatement.

Pour du pain à l'ail et aux herbes à servir en accompagnement, mélangez 2 gousses d'ail écrasées avec 150 g de beurre ramolli et 2 cuillerées à soupe de persil ciselé. Coupez 1 baguette en deux, horizontalement. Tartinez le pain de beurre et placez dans un four préchauffé à 180 °C pour 10 minutes : le beurre doit être fondu et le pain croustillant.

risotto à la lotte et au safran

Pour **3 à 4 personnes**
Préparation **25 minutes**
Cuisson **30 à 35 minutes**

50 g de **beurre**
1 **oignon** haché
500 g de **lotte** désarêtée, coupée en morceaux et assaisonnée
2 gousses d'**ail** écrasées
250 g de **riz à risotto**
1 verre de **vin blanc sec**
1 c. à c. de **filaments de safran**
2 c. à c. de **thym citron** ciselé + un peu pour décorer
1 litre de **bouillon de poisson** chaud (voir page 15)
sel et **poivre**
parmesan râpé pour servir

Faites fondre la moitié du beurre dans une grande casserole et faites revenir l'oignon. Ajoutez le poisson et faites-le revenir 2 minutes en remuant. Sortez le poisson à l'aide d'une écumoire, puis ajoutez l'ail dans la casserole et faites revenir 1 minute.

Incorporez le riz et faites-le revenir 1 minute. Ajoutez le vin et laissez bouillonner jusqu'à ce qu'il soit presque évaporé, puis ajoutez le safran et le thym citron. Ajoutez le bouillon à feu moyen, louchée par louchée, sans cesser de remuer. Attendez que chaque louchée soit absorbée avant d'ajouter la suivante. Continuez à ajouter du bouillon jusqu'à ce que le riz soit cuit mais encore un peu croquant. Cela devrait prendre environ 15 à 20 minutes.

Vérifiez l'assaisonnement et incorporez la lotte et le reste du beurre. Réchauffez et servez, parsemé de parmesan râpé et de thym citron ciselé.

Pour une lotte rôtie à la sauce au safran, huilez un plat à rôtir et déposez-y un morceau de 750 g de lotte désarêté, assaisonné et huilé. Faites rôtir 8 minutes dans un four préchauffé à 200 °C. Chauffez 1 cuillerée à soupe d'huile d'olive dans une poêle, faites revenir ½ oignon haché. Ajoutez 2 gousses d'ail écrasées et faites revenir 1 minute. Versez 125 ml de vin blanc et ajoutez 1 bonne pincée de filaments de safran. Portez à ébullition et laissez le vin s'évaporer complètement, puis ajoutez 200 ml de crème fraîche épaisse et faites à nouveau bouillir. Servez avec la lotte rôtie.

spaghettis aux moules et palourdes

Pour **4 personnes**
Préparation **15 minutes**
Cuisson **15 minutes**

350 g de **spaghettis**
2 c. à s. d'**huile d'olive**
+ un peu pour arroser le plat
1 petit **oignon** très finement haché
1 gros **piment vert** épépiné et émincé
2 gousses d'**ail** émincées
500 g de **moules** nettoyées (voir page 12)
1 kg de **palourdes** nettoyées (voir page 12)
175 ml de **vin blanc**
25 g de **beurre**
2 c. à s. de **persil** ciselé
sel et **poivre**

Faites cuire les spaghettis. Égouttez-les et réservez-les.

Faites chauffer l'huile d'olive dans une casserole et faites revenir l'oignon. Ajoutez le piment et faites revenir encore 1 minute, puis ajoutez l'ail.

Augmentez le feu et ajoutez les moules (jetez celles qui ne se ferment pas lorsque vous tapez légèrement dessus), les palourdes et le vin. Couvrez la casserole et faites cuire jusqu'à ce que les fruits de mer s'ouvrent (jetez ceux qui restent fermés). Égouttez dans une passoire, en réservant le liquide dans un récipient.

Remettez le liquide réservé dans la casserole, en laissant dans le récipient un fond qui contient peut-être un peu de sable des fruits de mer. Faites-le bouillir 2 minutes. Incorporez le beurre en fouettant, puis les fruits de mer, les spaghettis et le persil. Assaisonnez bien et arrosez d'un peu d'huile d'olive.

Pour des moules et des palourdes panées, faites cuire 500 g de moules et 500 g de palourdes nettoyées (voir page 12) comme ci-dessus. Enlevez la coquille supérieure de chacune des moules et des palourdes. Mélangez 250 g de chapelure fraîche avec 1 gousse d'ail écrasée et 3 cuillerées à soupe d'un mélange d'herbes ciselées. Parsemez la chapelure sur les fruits de mer et placez-les sous un gril chaud. Préparez un beurre à l'ail en mélangeant 50 g de beurre ramolli et 1 gousse d'ail écrasée. Déposez une petite noix de beurre sur chaque fruit de mer et servez.

penne thon-épinard-tomate

Pour **4 personnes**
Préparation **4 minutes**
Cuisson **10 minutes**

350 g de **penne**
2 c. à s. d'**huile d'olive** + un peu pour arroser le plat
1 **oignon** coupé en fines rondelles
1 gousse d'**ail** écrasée
500 g de **tomates cerises** coupées en deux
1 pincée de **sucre** (facultatif)
250 g de petits **épinards** nettoyés
370 g de **thon à l'huile d'olive** en boîte égoutté
sel et **poivre**

Faites cuire les pâtes en suivant les instructions du paquet.

Pendant ce temps, faites chauffer l'huile d'olive dans une casserole et faites-y revenir doucement l'oignon. Ajoutez l'ail et les tomates et faites revenir encore 3 à 4 minutes, jusqu'à ce que les tomates commencent à se défaire. Assaisonnez la sauce avec du sel, du poivre, et un peu de sucre si nécessaire.

Incorporez les épinards dans la sauce, puis le thon, en essayant de ne pas trop le défaire. Égouttez les penne, versez-les dans le plat, ajoutez la sauce et mélangez. Arrosez d'un peu d'huile d'olive avant de servir.

Pour des penne aux moules et à la crème, faites cuire 350 g de penne. Pendant ce temps, faites chauffer un peu d'huile d'olive dans une poêle et ajoutez 1 gousse d'ail émincée, 150 ml de vin blanc et 1,5 kg de moules nettoyées (voir page 12). Couvrez et faites cuire jusqu'à ce que les moules soient ouvertes (jetez celles qui restent fermées). Passez les moules dans un tamis et réservez le liquide. Versez-le dans une casserole propre et ajoutez 200 ml de crème fraîche épaisse. Laissez mijoter jusqu'à obtention d'une consistance crémeuse. Égouttez les pâtes, sortez les moules de leur coquille et ajoutez-les dans la sauce, ainsi que les pâtes. Assaisonnez de sel et de poivre.

paella aux fruits de mer

Pour **4 personnes**
Préparation **30 minutes**
Cuisson **25 minutes**

2 c. à s. d'**huile d'olive**
1 gros **oignon** coupé en petits dés
1 gousse d'**ail** écrasée
1 **poivron rouge** évidé, épépiné et coupé en dés de 5 mm de côté
300 g de **riz à paella**
1,5 litre de **bouillon de poisson** chaud (voir page 15) ou d'**eau**
1 pincée de **filaments de safran**
2 grosses **tomates** grossièrement hachées
300 g de grosses **crevettes crues** décortiquées
200 g de **palourdes** nettoyées (voir page 12)
200 g de **moules** nettoyées (voir page 12)
200 g de **calamars** nettoyés (voir page 12) et coupés en anneaux, sans les tentacules
150 g de **petits pois surgelés** décongelés
2 c. à s. de **persil** ciselé
sel et **poivre**

Faites chauffer l'huile d'olive dans une grande poêle. Faites-y revenir l'oignon, l'ail et le poivron rouge quelques minutes, puis ajoutez le riz et faites revenir 1 minute.

Versez du bouillon chaud sur le riz, en quantité suffisante pour le recouvrir d'environ 1 cm. Ajoutez les filaments de safran et remuez bien. Portez à ébullition puis ajoutez les tomates et baissez le feu pour obtenir un frémissement. Tournez bien encore une fois, puis laissez mijoter 10 à 12 minutes, en remuant de temps en temps pour empêcher que le riz colle au fond de la poêle.

Ajoutez les crevettes, les palourdes, les moules (jetez celles qui ne se ferment pas lorsque vous tapez légèrement dessus) et les calamars, avec un peu d'eau ou de bouillon si le riz est trop sec. Faites cuire jusqu'à ce que les palourdes et les moules s'ouvrent (jetez celles qui restent fermées), que les crevettes soient roses et que les calamars deviennent blancs et non plus transparents.

Incorporez les petits pois et le persil, et faites cuire pendant encore quelques minutes, jusqu'à ce que les petits pois soient chauds, puis assaisonnez de sel et de poivre à votre goût.

Pour une paella de pâtes aux noix de Saint-Jacques, suivez la recette ci-dessus en remplaçant le riz à paella par 375 g de pâtes orzo, les crevettes par des noix de Saint-Jacques, et n'utilisez que 500 ml de bouillon, ou un peu plus si nécessaire.

espadon et couscous à la courge

Pour **4 personnes**
Préparation **15 minutes**
+ marinade
Cuisson **40 minutes**

1 **courge butternut** épluchée, épépinée et coupée en dés de 1,5 cm de côté
4 c. à s. d'**huile d'olive**
1 c. à s. de **graines de cumin**
1 c. à c. de **coriandre moulue**
1 c. à c. de **cumin moulu**
1 c. à c. de **paprika**
4 **steaks d'espadon** d'environ 200 g chacun et de 1,5 cm d'épaisseur
1 c. à s. de **harissa**
400 ml de **bouillon de poulet** ou **de légumes** bouillant
300 g de **couscous**
4 c. à s. de **jus de citron**
sel et **poivre**

Mettez la courge dans un plat à rôtir et arrosez de 1 cuillerée à soupe d'huile d'olive. Salez, poivrez et parsemez de graines de cumin. Faites rôtir 30 minutes dans un four préchauffé à 180 °C.

Mélangez la coriandre, le cumin, le paprika et 2 cuillerées à soupe d'huile d'olive. Frottez-en les steaks d'espadon puis laissez mariner 30 minutes au réfrigérateur.

Mélangez la harissa avec le bouillon bouillant et versez sur le couscous dans un récipient résistant à la chaleur. Couvrez avec du film alimentaire et laissez reposer 5 à 8 minutes, puis aérez les grains à la fourchette. Incorporez le jus de citron et le reste d'huile, salez et poivrez. Ajoutez la courge rôtie et mélangez.

Faites cuire l'espadon mariné sur un gril en fonte très chaud, 3 à 4 minutes de chaque côté. Servez immédiatement avec le couscous chaud.

Pour des steaks de thon et une salsa d'herbes, mélangez 1 cuillerée à café de coriandre moulue, 1 cuillerée à café de cumin moulu, quelques piments séchés écrasés, 1 gousse d'ail écrasée et 2 cuillerées à soupe d'huile d'olive. Laissez mariner 4 steaks de thon frais de 200 g chacun dans cette préparation, 40 minutes au réfrigérateur, puis faites cuire 2 à 3 minutes de chaque côté. Mélangez 1 cuillerée à soupe de jus de citron, 1 cuillerée à soupe d'origan ciselé, 1 cuillerée à soupe de persil ciselé, 1 cuillerée à soupe de câpres hachées, 1 gousse d'ail écrasée et 2 cuillerées à soupe d'huile d'olive. Assaisonnez et servez avec le thon.

nouilles aux crevettes et pak choi

Pour **4 personnes**
Préparation **5 minutes**
Cuisson **12 minutes**

250 g de **nouilles aux œufs moyennes**
3 c. à s. d'**huile végétale**
2 c. à s. de **graines de sésame**
2,5 cm de **gingembre frais** épluché et finement haché
1 gousse d'**ail** écrasée
20 grosses **crevettes crues** décortiquées
3 c. à s. de **sauce soja claire**
2 c. à s. de **sauce douce au piment**
2 **pak choi**
4 **oignons nouveaux** coupés en fines rondelles
1 poignée de **coriandre** ciselée
2 c. à s. d'**huile de sésame**

Faites cuire les nouilles puis égouttez-les. Faites chauffer 2 cuillerées à soupe d'huile dans une grande poêle. Versez les nouilles de façon qu'elles recouvrent le fond de la poêle. Faites cuire à feu vif 3 à 4 minutes, puis retournez-les et faites-les dorer de l'autre côté. Incorporez les graines de sésame.

Faites chauffer le reste d'huile dans un wok, faites revenir le gingembre et l'ail 1 minute, puis ajoutez les crevettes et faites sauter 2 minutes. Ajoutez la sauce soja et la sauce douce au piment et portez à ébullition, puis baissez le feu et laissez cuire à frémissements 1 à 2 minutes. Détachez les feuilles des pak choi, ajoutez-les dans le wok et remuez jusqu'à ce qu'elles commencent à se flétrir.

Dressez les nouilles sur une grande assiette et ajoutez les crevettes et les pak choi dessus. Parsemez d'oignon nouveau et de coriandre, et arrosez d'huile de sésame.

Pour des crevettes sautées à la citronnelle, faites revenir 2 échalotes émincées, 2 tiges de citronnelle émincées, 1 piment rouge épépiné et émincé, 1 gousse d'ail écrasée et 1,5 cm de gingembre frais épluché et finement haché dans un wok, avec un peu d'huile végétale, pendant 2 minutes. Ajoutez 20 grosses crevettes crues décortiquées et faites cuire en remuant. Incorporez 6 cuillerées à soupe de sauce soja claire, 2 cuillerées à soupe d'huile de sésame et le jus de 1 citron vert. Parsemez de 2 cuillerées à soupe de coriandre ciselée.

risotto crémeux crabe-asperge

Pour **4 personnes**
Préparation **10 minutes**
Cuisson **25 à 30 minutes**

4 c. à s. d'**huile d'olive**
2 branches de **céleri** coupées en petits dés
1 **oignon** coupé en petits dés
1 gousse d'**ail** écrasée
350 g de **riz à risotto**
175 ml de **vin blanc**
1,5 litre de **bouillon de poisson** (voir page 15) ou **de poulet**
25 g de **beurre**
8 à 10 **asperges** parées, blanchies et coupées en tronçons, en biais
400 g de **chair de crabe**
1 c. à s. de **jus de citron**
2 poignées de feuilles de **roquette**
sel et **poivre**

Faites chauffer 2 cuillerées à soupe d'huile d'olive dans une casserole. Faites-y revenir le céleri et l'oignon à feu moyen. Ajoutez l'ail et faites revenir 1 minute, puis ajoutez le riz et remuez 2 minutes pour enrober tous les grains d'huile.

Versez le vin dans la casserole et laissez bouillonner jusqu'à ce que tout le liquide se soit évaporé.

Ajoutez le bouillon à feu moyen, louchée par louchée, sans cesser de remuer. Attendez que chaque louchée soit absorbée avant d'ajouter la suivante. Continuez à ajouter du bouillon jusqu'à ce que le riz soit cuit mais encore un peu croquant. Cela devrait prendre environ 15 à 20 minutes. Incorporez le beurre, puis les asperges et la chair de crabe. Assaisonnez de sel et de poivre.

Mélangez le reste d'huile et le jus de citron, et assaisonnez-en les feuilles de roquette. Dressez le risotto dans des assiettes creuses et parsemez de feuilles de roquette assaisonnées.

Pour des linguine au crabe, au piment et à la roquette, mélangez 375 g de linguine cuites chaudes avec 3 cuillerées à soupe de leur eau de cuisson. Ajoutez 1 gros piment rouge épépiné et émincé, 500 g de chair de crabe, 4 cuillerées à soupe de jus de citron, 400 g de feuilles de roquette et 4 cuillerées à soupe d'huile d'olive. Incorporez quelques feuilles de basilic déchirées et assaisonnez de sel et de poivre.

grondin et risotto au persil

Pour **4 personnes**
Préparation **5 minutes**
Cuisson **25 à 30 minutes**

4 c. à s. d'**huile d'olive**
2 branches de **céleri** coupées en petits dés
1 **oignon** coupé en petits dés
2 gousses d'**ail** écrasées
350 g de **riz à risotto**
175 ml de **vin blanc**
1,5 litre de **bouillon de poisson** (voir page 15) ou **de poulet**
le **zeste** râpé de 1 **citron** + un peu de **jus** à votre goût
25 g de **beurre**
1 gros bouquet de **persil** ciselé
4 **grondins** levés en filets et écaillés
sel et **poivre**

Faites chauffer 2 cuillerées à soupe d'huile d'olive dans une grande casserole. Faites-y revenir le céleri et l'oignon à feu moyen. Ajoutez l'ail et faites cuire 1 minute. Ajoutez le riz et remuez 2 minutes pour enrober tous les grains d'huile.

Versez le vin dans la casserole et laissez bouillonner jusqu'à ce que tout le liquide se soit évaporé.

Ajoutez le bouillon à feu moyen, louchée par louchée, sans cesser de remuer. Attendez que chaque louchée soit absorbée avant d'ajouter la suivante. Continuez à verser le bouillon jusqu'à ce que le riz soit cuit mais encore un peu croquant. Cela devrait prendre environ 15 à 20 minutes. Incorporez le zeste de citron et le beurre. Parsemez le persil sur le risotto, salez et poivrez.

Faites chauffer une poêle à feu vif et ajoutez le reste d'huile. Assaisonnez les grondins des 2 côtés et mettez-les dans la poêle, côté peau vers le bas. Faites cuire 3 minutes, puis retournez et faites cuire 1 minute de l'autre côté. Arrosez les poissons d'un peu de jus de citron pressé et servez-les sur le risotto.

Pour du grondin et des gnocchis au pesto de persil, faites cuire 375 g de gnocchis. Mettez 1 grosse poignée de persil dans un robot, avec 50 g de noix grillées et 1 gousse d'ail. Mixez avec 150 ml d'huile d'olive jusqu'à homogénéité. Ajoutez 125 g de parmesan, salez et poivrez. Mélangez avec les gnocchis et servez avec des grondins poêlés.

ailes de raie, pois chiches et olives

Pour **4 personnes**
Préparation **15 minutes**
Cuisson **8 minutes**

4 c. à s. d'**huile d'olive**
4 **ailes de raie** d'environ 250 g chacune, sans la peau
3 c. à s. de **farine** assaisonnée de **sel** et de **poivre**
200 g d'**olives noires dénoyautées** finement hachées
1 **piment rouge** épépiné et finement haché
1 c. à s. de **basilic** ciselé
1 c. à s. de **persil** ciselé
2 c. à s. de **jus de citron**
400 g de **pois chiches** en boîte égouttés
125 g de **cresson**
1 c. à s. de **vinaigre balsamique**
sel et **poivre**

Faites chauffer 2 cuillerées à soupe d'huile d'olive dans une poêle. Saupoudrez les ailes de raie de farine assaisonnée et faites cuire 3 minutes : elles doivent être légèrement colorées. Retournez et poursuivez la cuisson 3 minutes de l'autre côté.

Mélangez les olives noires, le piment, le basilic, le persil, le jus de citron et le reste d'huile d'olive. Assaisonnez de sel et de poivre à votre goût.

Mélangez les pois chiches, le cresson et le vinaigre balsamique dans un récipient.

Servez les ailes de raie avec une poignée de salade de cresson et pois chiches et la salsa aux olives noires.

Pour des ailes de raie au beurre, faites chauffer 2 cuillerées à soupe d'huile d'olive dans une poêle et ajoutez les ailes de raie assaisonnées. Au bout de 1 minute, ajoutez 50 g de beurre doux dans la poêle. Arrosez-en le poisson et poursuivez la cuisson pendant 2 minutes. Retournez les ailes de raie et faites cuire 2 à 3 minutes de l'autre côté. Continuez à les arroser de beurre. Lorsqu'elles sont cuites, ajoutez 50 g de câpres égouttées dans la poêle et assaisonnez de sel et de poivre.

lieu jaune rôti aux lentilles

Pour **4 personnes**
Préparation **15 minutes**
Cuisson **50 minutes**

150 g de **lentilles du Puy**
3 c. à s. d'**huile d'olive vierge extra**
1 gros **oignon** émincé
3 gousses d'**ail** émincées
quelques brins de **romarin** ou de **thym**
200 ml de **bouillon de poisson** (voir page 15)
4 gros morceaux de **filet de lieu jaune** sans la peau
8 petites **tomates**
sel et **poivre**
2 c. à s. de **persil plat** ciselé pour décorer

Faites bouillir les lentilles à grande eau pendant 15 minutes, puis égouttez-les.

Pendant ce temps, faites chauffer 1 cuillerée à soupe d'huile d'olive dans une poêle et faites-y revenir l'oignon pendant 5 minutes. Ajoutez l'ail et faites revenir 2 minutes en remuant.

Ajoutez les lentilles, le romarin ou le thym, le bouillon, un peu de sel et de poivre dans la poêle, et portez à ébullition.

Transvasez dans un plat peu profond allant au four et déposez les morceaux de lieu jaune dessus. Incisez le haut des tomates et disposez-les autour du poisson. Arrosez de l'huile restante.

Faites cuire sans couvrir dans un four préchauffé à 180 °C pendant 25 minutes. Parsemez de persil avant de servir.

Pour du lieu jaune aux poireaux rôtis, faites chauffer 1 cuillerée à soupe d'huile d'olive dans une grande poêle et faites revenir 4 échalotes hachées jusqu'à ce qu'elles soient dorées. Versez 500 ml de bouillon de poisson (voir page 15) et 200 ml de vin blanc, portez à ébullition et faites réduire de moitié. Placez 4 gros poireaux parés et coupés en tranches dans un plat peu profond allant au four, puis versez la réduction de bouillon de poisson. Assaisonnez bien de sel et de poivre. Déposez le lieu jaune dessus et faites cuire au four comme indiqué ci-dessus.

plats principaux

papillotes de rouget barbet

Pour **4 personnes**
Préparation **20 minutes**
Cuisson **6 à 8 minutes**

4 **filets de rouget barbet** d'environ 200 g chacun, désarêtés
2 gros **piments rouges** épépinés et coupés en julienne
5 cm de **gingembre frais** épluché et coupé en julienne
2 **oignons nouveaux** coupés en fines rondelles
2 **citrons verts** coupés en fines rondelles
2 gousses d'**ail** émincées
1 c. à s. de **sauce soja**
1 c. à s. d'**huile de sésame**

Découpez 4 carrés de papier sulfurisé d'environ 8 cm de plus que les filets de poisson.

Déposez 1 filet de rouget barbet sur un des carrés. Parsemez de piment, de gingembre, de quelques rondelles d'oignon nouveau, de citron vert et d'ail. Arrosez d'un peu de sauce soja et d'huile de sésame.

Repliez un coin du carré par-dessus le poisson pour obtenir une papillote triangulaire. En commençant à un coin du triangle, repliez les bords 2 fois pour sceller la papillote. Répétez l'opération avec les autres filets de poisson. Faites cuire 6 à 8 minutes dans un four préchauffé à 180 °C : le poisson doit être opaque et ferme au toucher.

Pour des papillotes de rouget barbet au citron et au vin blanc, déposez le poisson sur du papier sulfurisé comme ci-dessus, et ajoutez quelques rondelles de citron, quelques brins de thym et un peu de beurre. Assaisonnez de sel et de poivre puis enveloppez dans les papillotes, en laissant une extrémité ouverte. Versez 1 cuillerée à soupe de vin blanc dans chacune. Fermez complètement les papillotes et faites cuire comme ci-dessus.

filets de lotte en robe de bacon

Pour **4 personnes**
Préparation **15 minutes**
Cuisson **20 à 25 minutes**

125 ml de **vinaigre balsamique**
4 **filets de lotte** d'environ 150 g chacun, désarêtés
4 c. à c. de **tapenade** de bonne qualité
8 feuilles de **basilic**
8 tranches de **bacon** étirées avec le dos d'un couteau
375 g de **haricots verts** équeutés
150 g de **petits pois surgelés**
6 **oignons nouveaux** coupés en fines rondelles
125 g de **feta** émiettée
2 c. à s. d'**huile au basilic**
sel

Versez le vinaigre dans une petite casserole. Portez à ébullition à feu moyen, puis baissez le feu et laissez mijoter 8 à 10 minutes, jusqu'à ce qu'il devienne épais et brillant. Laissez refroidir légèrement, tout en gardant au chaud.

Placez les filets de lotte sur une planche à découper et, à l'aide d'un couteau tranchant, pratiquez une incision profonde d'environ 5 cm de long sur le côté de chaque filet. Fourrez avec 1 cuillerée à café de tapenade et 2 feuilles de basilic. Enveloppez les filets dans 2 tranches de bacon, en recouvrant la garniture, et fixez avec une pique en bois.

Portez à ébullition une casserole d'eau salée, faites cuire les haricots verts 3 minutes, puis ajoutez les petits pois et faites cuire encore 1 minute. Égouttez et gardez au chaud.

Faites chauffer moyennement un gril en fonte et placez-y les filets de lotte. Faites cuire 4 à 5 minutes de chaque côté, puis réservez pendant 1 à 2 minutes.

Pendant ce temps, mélangez les haricots et les petits pois avec les oignons nouveaux, la feta et l'huile au basilic, puis dressez sur des assiettes de service. Ajoutez 1 filet de lotte sur chaque assiette, arrosez de vinaigre balsamique chaud et servez immédiatement.

maquereau aux patates douces

Pour **2 personnes**
Préparation **15 minutes**
Cuisson **1 heure**

375 g de **patates douces** brossées et coupées en morceaux de 1,5 cm de côté
1 **oignon rouge** coupé en fines rondelles
4 c. à s. d'**huile au piment**
quelques brins de **thym**
40 g de **tomates séchées à l'huile** égouttées et finement tranchées
4 gros **filets de maquereau** désarêtés
100 ml de **yaourt nature**
1 c. à s. de **coriandre** ciselée
1 c. à s. de **menthe** ciselée
sel et **poivre**
quartiers de **citron** pour servir

Répartissez les morceaux de patate douce et les rondelles d'oignon dans un plat peu profond allant au four. Ajoutez l'huile, le thym, un peu de sel et mélangez.

Faites cuire 40 à 45 minutes dans un four préchauffé à 200 °C, en tournant 1 ou 2 fois : les patates douces doivent être juste tendres et commencer à brunir.

Incorporez les tomates. Pliez chaque filet de maquereau en deux, côté peau vers l'extérieur, et disposez-les sur les patates douces. Remettez dans le four pour 12 à 15 minutes, jusqu'à ce que le poisson soit cuit.

Pendant ce temps, mélangez le yaourt, les herbes, un peu de sel et de poivre pour faire un raïta. Dressez le poisson et les patates douces sur des assiettes de service chaudes, versez le raïta dessus et servez avec des quartiers de citron.

Pour de la lotte poêlée aux tomates séchées chaudes, enveloppez 2 gros filets de lotte dans du jambon de Parme. Faites chauffer une grande poêle à feu moyen avec 2 cuillerées à soupe d'huile d'olive. Faites revenir les filets 6 à 8 minutes, jusqu'à ce qu'ils soient dorés et fermes au toucher. Sortez-les de la poêle et laissez-les reposer. Déglacez la poêle avec 100 ml de vin blanc et le jus de 1 citron. Incorporez 5 tomates séchées à l'huile égouttées et hachées, et 2 cuillerées à soupe de persil ciselé. Servez la lotte avec les tomates.

curry de poisson à l'indienne

Pour **4 personnes**
Préparation **15 minutes**
Cuisson **30 minutes**

2 c. à s. d'**huile d'arachide** ou **végétale**
1 **oignon** finement haché
1 **piment rouge** épépiné et finement haché
1 gousse d'**ail** écrasée
5 cm de **gingembre frais** épluché et émincé
1 c. à s. de **cumin moulu**
1 c. à s. de **coriandre moulue**
1 c. à c. de **curcuma**
1 c. à c. de **garam masala**
400 g de **tomates hachées** en boîte
400 ml de **lait de coco** en boîte
2 grosses **queues de lotte** coupées en morceaux
12 grosses **crevettes crues** décortiquées
250 g de **moules** nettoyées (voir page 12)
1 petit bouquet de **coriandre** ou de **persil** grossièrement haché

Faites chauffer l'huile dans une grande poêle et faites-y revenir doucement l'oignon 10 minutes, jusqu'à ce qu'il soit doré. Ajoutez le piment, l'ail, le gingembre et les épices, et faites revenir encore 1 minute jusqu'à ce que le mélange soit odorant.

Ajoutez les tomates et le lait de coco dans la poêle. Portez à ébullition, puis baissez le feu et laissez mijoter 10 minutes, jusqu'à ce que la sauce au curry ait épaissi. Mettez les queues de lotte et les crevettes dans la poêle, et faites cuire 3 à 4 minutes. Ajoutez enfin les moules (jetez celles qui ne se ferment pas lorsque vous tapez légèrement dessus) et faites cuire encore 1 minute, jusqu'à ce qu'elles s'ouvrent (jetez celles qui restent fermées).

Assaisonnez et incorporez les herbes hachées. Servez avec du riz basmati.

Pour des naans à l'ail et aux graines de moutarde noire à servir en accompagnement, faites chauffer un peu d'huile dans une petite poêle, ajoutez 1 cuillerée à soupe de graines de moutarde noire et faites revenir jusqu'à ce qu'elles commencent à sauter. Mélangez 100 g de beurre ramolli et 1 gousse d'ail écrasée avec les graines de moutarde, et étalez cette préparation sur 2 gros naans. Rassemblez les 2 côtés beurrés et enveloppez dans du papier d'aluminium. Faites cuire 10 minutes dans un four préchauffé à 180 °C.

vivaneau aux carottes et au carvi

Pour **4 personnes**
Préparation **10 minutes**
Cuisson **15 minutes**

500 g de **carottes** coupées en rondelles
2 c. à c. de **graines de carvi**
4 **filets de vivaneau** d'environ 175 g chacun, désarêtés
2 **oranges**
1 bouquet de **coriandre** grossièrement hachée + un peu pour décorer
4 c. à s. d'**huile d'olive**
sel et **poivre**

Faites chauffer moyennement un gril en fonte et faites cuire les carottes 3 minutes de chaque côté, en ajoutant les graines de carvi dans les 2 dernières minutes de cuisson. Transvasez dans un récipient et gardez au chaud.

Faites cuire les filets de vivaneau sur le gril en fonte, 3 minutes de chaque côté. Pendant ce temps, pressez 1 des oranges et coupez l'autre en quartiers. Faites cuire les quartiers d'orange sur le gril en fonte pour les faire brunir.

Ajoutez la coriandre dans le récipient avec les carottes et mélangez bien. Assaisonnez de sel et de poivre, puis incorporez l'huile et le jus d'orange. Servez le poisson cuit avec les carottes et les quartiers d'orange. Garnissez de coriandre ciselée.

Pour une purée de carotte à la coriandre à servir en accompagnement à la place des carottes et des oranges, hachez grossièrement 500 g de carottes épluchées. Portez de l'eau légèrement salée à ébullition et faites-y cuire les carottes jusqu'à ce qu'elles soient très tendres. Égouttez et réduisez en purée dans un robot, avec 2 cuillerées à soupe de crème fraîche liquide, un peu de sel et de poivre. Une fois que le mélange est très onctueux, incorporez 1 cuillerée à soupe de feuilles de coriandre ciselées.

gratin de haddock fumé

Pour **4 personnes**
Préparation **20 minutes**
Cuisson **45 minutes**

400 g de **haddock fumé**
450 g de **filet de saumon** désarêté et sans la peau
150 g de **crevettes crues** décortiquées
1 **oignon** coupé en deux
1 feuille de **laurier**
quelques **grains de poivre**
500 ml de **lait**
100 ml de **crème fraîche épaisse**
50 g de **beurre**
40 g de **farine**
sel et **poivre**

Garniture
2 grosses **pommes de terre** épluchées
35 g de **beurre**
75 g de **parmesan** fraîchement râpé

Dans une grande casserole, portez à ébullition le haddock, le saumon, les crevettes, l'oignon, le laurier, les grains de poivre, le lait et la crème fraîche. Retirez du feu et laissez reposer 5 minutes.

Sortez le poisson et les crevettes du liquide. Détaillez le poisson en gros morceaux dans un récipient, puis réservez. Filtrez le liquide et jetez les éléments solides.

Faites fondre le beurre dans une casserole à feu moyen, puis ajoutez la farine et mélangez. Faites cuire 2 minutes, puis retirez du feu. Ajoutez peu à peu dans la casserole le liquide passé, sans cesser de remuer. Remettez sur le feu et tournez jusqu'à ébullition. Laissez cuire à frémissements quelques minutes, puis salez et poivrez. Versez la sauce dans le récipient avec le poisson et remuez. Transvasez dans un plat allant au four.

Faites cuire les pommes de terre entières dans de l'eau bouillante salée 10 minutes. Sortez-les de l'eau et coupez-les en fines rondelles. Disposez-les sur le poisson puis ajoutez quelques noix de beurre. Parsemez de parmesan et faites cuire 25 minutes dans un four préchauffé à 180 °C.

Pour des pommes de terre nouvelles et des petits pois au citron à servir en accompagnement, faites cuire 500 g de pommes de terre nouvelles et 300 g de petits pois, égouttez bien et placez dans un récipient. Ajoutez le zeste finement râpé de 1 citron, une grosse noix de beurre, un peu de sel et de poivre. Mélangez.

espadon confit

Pour **4 personnes**
Préparation **10 minutes**
+ réfrigération
Cuisson **35 minutes**

2 c. à c. de **thym** ciselé
3 gousses d'**ail** écrasées
½ c. à c. de **sel de mer**
¼ de c. à c. de **piment séché** écrasé
4 **steaks d'espadon** d'environ 200 g chacun, sans la peau
150 à 200 ml d'**huile d'olive**
2 c. à s. de **jus de citron**
4 c. à s. de **persil** ciselé
1 c. à s. de **sucre muscovado clair**
1 c. à s. de **vodka**

Mélangez le thym, l'ail, le sel et le piment, et frottez les steaks d'espadon avec ce mélange.

Placez les steaks d'espadon en couche simple dans un plat peu profond allant au four, assez grand pour qu'ils n'y soient pas trop serrés. Versez assez d'huile d'olive pour recouvrir tout juste le poisson. (Si le plat est trop grand, tapissez-le de papier d'aluminium, déposez le poisson dessus et remontez le papier autour pour ne pas utiliser trop d'huile.) Couvrez et laissez au réfrigérateur jusqu'à 24 heures.

Faites cuire dans un four préchauffé à 180 °C pendant 30 minutes.

À l'aide d'une écumoire, égouttez le poisson et dressez-le sur des assiettes de service. Mélangez le jus de citron, le persil, le sucre et la vodka avec 4 cuillerées à soupe de jus de cuisson dans une petite casserole. Fouettez, en réchauffant doucement, et versez sur le poisson avant de servir.

Pour un ceviche de bar, détaillez 300 g de filet de bar très frais, sans la peau, en dés de 1 cm de côté. Placez le poisson dans un récipient non métallique, avec le jus de 1 citron vert et de 1 orange. Mélangez bien, couvrez et placez au réfrigérateur pour 2 heures. Sortez du réfrigérateur, assaisonnez de sel et de poivre, incorporez 1 piment émincé et 2 cuillerées à soupe de feuilles de coriandre grossièrement hachées.

saint-jacques, tomates et pancetta

Pour **4 personnes**
Préparation **10 minutes**
+ refroidissement
Cuisson **1 h 30**

8 petites **tomates** coupées en deux
2 gousses d'**ail** finement hachées
8 feuilles de **basilic**
2 c. à s. d'**huile d'olive**
2 c. à s. de **vinaigre balsamique**
8 tranches fines de **pancetta**
16 à 20 grosses **noix de Saint-Jacques** nettoyées (voir page 12), sans le corail (facultatif)
8 **cœurs d'artichaut à l'huile** en bocal, de bonne qualité, coupés en deux
150 g de **mâche**
sel et **poivre**

Disposez les tomates dans un plat à rôtir, côté coupé vers le haut. Parsemez d'ail et de basilic, arrosez de 1 cuillerée à soupe d'huile d'olive et de 1 cuillerée à soupe de vinaigre, salez et poivrez. Faites cuire 1 h 30 dans un four préchauffé à 220 °C.

Faites griller les tranches de pancetta sur un gril en fonte 2 minutes, en les retournant 1 fois. Égouttez sur du papier absorbant. Laissez le gril sur feu vif.

Saisissez les saint-jacques 1 minute de chaque côté. Sortez-les de la poêle, couvrez de papier d'aluminium et réservez 2 minutes pendant que vous faites cuire les cœurs d'artichaut sur le gril.

Mélangez la mâche avec le reste d'huile et de vinaigre, et dressez sur des assiettes. Placez les cœurs d'artichaut, les tomates, les saint-jacques et la pancetta coupée en morceaux dessus, et servez.

Pour une salade niçoise aux saint-jacques, assaisonnez 12 grosses noix de Saint-Jacques, sans le corail, et faites-les cuire à la poêle dans 2 cuillerées à soupe d'huile d'olive, 1 minute d'un côté et 30 secondes de l'autre. Dans un récipient, mélangez 150 g de cœurs d'artichaut marinés en bocal, 50 g d'olives noires dénoyautées, 8 tomates cerises coupées en deux et 150 g de mâche. Mélangez 1 cuillerée à soupe de vinaigre balsamique et 3 cuillerées à soupe d'huile d'olive. Salez et poivrez, puis versez sur la salade. Servez la salade avec les noix de Saint-Jacques poêlées et assaisonnez de jus de citron.

truite de mer en croûte feuilletée

Pour **4 personnes**
Préparation **20 minutes**
Cuisson **25 minutes**

2 rouleaux de **pâte feuilletée**
1 morceau de 625 g de **filet de truite de mer** épais, d'environ 35 cm de long, désarêté et sans la peau
125 g de **fromage frais**
3 c. à s. d'**aneth** ciselé
1 **œuf** légèrement battu
sel et **poivre**

Sauce
1 c. à s. d'**huile d'olive**
½ **oignon** haché
175 g de **cresson**
1 gousse d'**ail** écrasée
200 ml de **crème fraîche épaisse**
sel et **poivre**

Étalez 1 rouleau de pâte feuilletée sur une plaque de four antiadhésive. Déposez la truite au centre de la pâte, salez et poivrez. Mélangez le fromage frais et l'aneth, et étalez sur le poisson.

Badigeonnez l'autre rouleau de pâte avec un peu d'œuf battu et placez-le sur le poisson, côté œuf vers le bas. À l'aide du côté de votre main, enfoncez la pâte autour du poisson pour l'envelopper. Enlevez l'excédent de pâte pour que les contours soient nets, puis appuyez légèrement sur les bords pour sceller.

Incisez le dessus de la pâte en croisillons avec un couteau, puis badigeonnez d'œuf. Faites cuire 25 minutes dans un four préchauffé à 200 °C.

Faites chauffer l'huile d'olive dans une casserole et faites revenir doucement l'oignon. Coupez les tiges épaisses du cresson puis ajoutez-le dans la casserole avec l'ail, et faites cuire jusqu'à ce que les feuilles se flétrissent. Ajoutez la crème fraîche et portez à ébullition.

Retirez la casserole du feu et mixez avec précaution pour former une sauce homogène, au moyen d'un mixeur plongeant. Si la sauce est trop épaisse, ajoutez un peu de crème fraîche ou de bouillon. Salez et poivrez.

Coupez la tourte en tranches et servez avec la sauce au cresson.

burgers au saumon et sésame

Pour **4 personnes**
Préparation **10 minutes**
Cuisson **8 minutes**

8 c. à s. de **graines de sésame blanc**
4 c. à s. de **graines de sésame noir**
4 **filets de saumon** d'environ 150 g chacun, désarêtés et sans la peau
2 c. à s. d'**huile d'olive**
1 c. à s. d'**huile de sésame grillé**
4 petits **pains croustillants aux graines de sésame**
½ **concombre** coupé en rubans avec un épluche-légumes
1 petit **oignon rouge** coupé en fines rondelles

Étalez toutes les graines de sésame sur une grande assiette puis déposez-y les filets de saumon en appuyant, pour qu'ils soient uniformément recouverts de sésame sur le côté supérieur. Faites chauffer l'huile d'olive dans une poêle peu profonde et faites revenir le saumon à feu moyen 4 minutes de chaque côté, jusqu'à ce qu'il soit doré et bien cuit. Retirez la poêle du feu et arrosez le poisson d'huile de sésame grillé.

Coupez en deux les petits pains et faites-les griller sous un gril préchauffé. Déposez un peu de concombre et d'oignon sur la partie inférieure, puis ajoutez les filets de saumon dessus. Recouvrez avec la partie supérieure des pains et servez immédiatement, avec le reste de concombre et d'oignon.

Pour du sashimi de saumon au sésame et à la coriandre, mélangez 1 cuillerée à soupe de graines de sésame noir et 1 cuillerée à soupe de graines de sésame blanc dans une assiette, et couvrez une autre assiette de coriandre ciselée. Déposez 400 g de filet de saumon très frais, sans la peau et désarêté, sur les graines de sésame, en appuyant bien, puis pressez l'autre côté sur la coriandre ciselée. À l'aide d'un couteau tranchant, coupez le filet en deux dans la longueur, puis détaillez chaque morceau en tranches de 5 mm d'épaisseur. Servez avec de la sauce soja.

merlu et épinards à la crème

Pour **4 personnes**
Préparation **4 minutes**
Cuisson **20 minutes**

4 morceaux de **merlu** d'environ 200 g chacun
2 c. à s. d'**huile d'olive**
2 **échalotes** émincées
1 gousse d'**ail** écrasée
50 ml de **vin blanc**
500 g de petits **épinards** lavés
100 ml de **crème fraîche épaisse**
125 g de **pignons de pin**
sel et **poivre**

Placez le merlu dans un plat allant au four, arrosez de 1 cuillerée à soupe d'huile et assaisonnez de sel et de poivre. Faites cuire 6 à 8 minutes dans un four préchauffé à 200 °C.

Faites chauffer le reste d'huile dans une grande poêle et faites-y revenir doucement les échalotes. Ajoutez l'ail et faites revenir encore 1 minute. Versez le vin dans la poêle et laissez bouillonner jusqu'à évaporation.

Ajoutez les épinards en plusieurs fois, en les laissant se flétrir complètement, puis incorporez la crème fraîche et assaisonnez de sel et de poivre.

Faites légèrement griller à sec les pignons de pin dans une poêle à feu doux.

Disposez un peu d'épinards à la crème au centre de chaque assiette, ajoutez 1 morceau de poisson dessus et parsemez de pignons de pin grillés.

Pour du beurre aux pignons de pin à ajouter dans le plat, mélangez 200 g de pignons de pin légèrement grillés avec 125 g de beurre ramolli. Mettez le beurre dans un morceau de film alimentaire et roulez en forme de saucisse. Placez au réfrigérateur ou au congélateur pour faire prendre. Lorsque le poisson est presque cuit, déposez 1 tranche de beurre sur chaque morceau. Remettez le poisson dans le four pour finir la cuisson et faire fondre le beurre. Servez avec des épinards à la crème comme ci-dessus.

curry d'espadon à la malaise

Pour **4 personnes**
Préparation **20 minutes**
Cuisson **20 minutes**

750 g de **steaks d'espadon**, sans la peau, désarêtés et coupés en morceaux
3 **échalotes** dont 2 grossièrement hachées et 1 coupée en fines rondelles
2 gousses d'**ail** émincées
15 g de **gingembre frais** épluché et haché
¼ de c. à c. de **curcuma**
1 **piment rouge** épépiné et haché
400 ml de **lait de coco** en boîte
6 feuilles de **curry**
2 c. à c. de **sucre de palme** ou **en poudre**
2 c. à s. d'**huile végétale**
1 c. à s. de **graines de coriandre** écrasées
2 c. à c. de **graines de cumin** écrasées
2 c. à c. de **graines de fenouil** écrasées
15 g de feuilles de **coriandre** ciselées
sel et **poivre**

Assaisonnez l'espadon avec du sel et du poivre.

Mixez dans un robot les 2 échalotes hachées, 1 gousse d'ail, le gingembre, le curcuma, le piment et 2 cuillerées à soupe de lait de coco jusqu'à obtenir une pâte homogène, en raclant les côtés du récipient.

Transvasez la pâte dans une grande casserole et ajoutez le reste du lait de coco, les feuilles de curry et le sucre. Portez à ébullition puis baissez le feu et laissez mijoter 5 minutes. Ajoutez le poisson et faites cuire doucement 10 minutes.

Faites chauffer l'huile dans une petite poêle. Faites revenir l'échalote coupée en rondelles, le reste d'ail et les graines de coriandre, de cumin et de fenouil, pendant 3 minutes. Incorporez la coriandre ciselée, disposez la préparation sur le curry et servez.

Pour un curry d'espadon aux tomates, faites revenir 2 cuillerées à café de graines de fenouil, 2 cuillerées à café de graines de cumin et 2 cuillerées à café de graines de coriandre dans 2 cuillerées à soupe d'huile végétale, pendant 1 minute. Faites revenir 1 oignon coupé en fines rondelles, puis ajoutez 2 gousses d'ail émincées et 1 cuillerée à soupe de gingembre frais haché. Faites cuire 1 minute puis ajoutez 800 g de tomates hachées en boîte. Portez à ébullition et ajoutez 1 cuillerée à café de sucre roux. Incorporez 750 g d'espadon sans la peau et désarêté, détaillé en morceaux de 1,5 cm de côté. Laissez mijoter à feu doux 10 minutes, puis assaisonnez de sel et de poivre.

bar à l'aïoli au citron vert

Pour **4 personnes**
Préparation **30 minutes**
Cuisson **7 à 10 minutes**

4 grosses **pommes de terre** non épluchées coupées en fines rondelles
4 c. à s. d'**huile d'olive**
4 **filets de bar** d'environ 175 à 250 g chacun, désarêtés
sel et **poivre**

Aïoli au citron vert
4 à 6 gousses d'**ail** écrasées
2 **jaunes d'œufs**
le **jus** et le **zeste** finement râpé de 2 **citrons verts**
300 ml d'**huile d'olive vierge extra**
sel et **poivre**

Pour décorer
rondelles de **citron vert** grillées
ciboulette grossièrement hachée

Préparez l'aïoli : mettez l'ail et les jaunes d'œufs dans un robot, ajoutez le jus de citron vert et mixez brièvement. Tout en mixant, versez peu à peu l'huile d'olive en fin filet régulier, jusqu'à la formation d'une crème épaisse. Transvasez dans un récipient, incorporez le zeste de citron vert, salez et poivrez. Réservez.

Badigeonnez bien les rondelles de pomme de terre avec l'huile d'olive, saupoudrez de sel et de poivre, et placez-les sur une grille. Faites cuire sous un gril préchauffé 2 à 3 minutes de chaque côté. Sortez du four et gardez au chaud.

Incisez les filets de bar et badigeonnez-les du reste d'huile d'olive, puis placez-les sur la grille, côté peau vers le bas. Faites-les griller 3 à 4 minutes, en les retournant 1 fois. Sortez du four, garnissez des rondelles de citron vert grillées et de ciboulette, et servez avec les pommes de terre et l'aïoli.

Pour des filets de bar au citron vert, coupez 1 citron vert en deux. Faites chauffer une poêle à sec jusqu'à ce qu'elle soit très chaude, puis ajoutez les moitiés de citron vert, côté coupé vers le bas. Laissez-les noircir légèrement, puis retirez la poêle du feu et pressez-les ; versez le jus dans la poêle et ajoutez 1 cuillerée à soupe de miel liquide et 3 cuillerées à soupe d'huile d'olive. Salez et poivrez, et servez avec les filets de bar cuits à la poêle pendant 3 minutes côté peau, puis 1 minute de l'autre côté.

limande-sole et ratatouille

Pour **4 personnes**
Préparation **8 minutes**
Cuisson **30 minutes**

12 petites **pommes de terre nouvelles fermes** brossées
2 c. à s. d'**huile d'olive**
1 **poivron jaune** évidé, épépiné et coupé en dés de 1 cm de côté
2 petites **courgettes** coupées en deux dans la longueur et détaillées en tranches
300 g de **tomates cerises mûres** coupées en deux
2 **oignons nouveaux** émincés
12 feuilles de **basilic**
4 **limandes-soles** entières vidées
50 g de **beurre**
1 **citron**
sel et **poivre**

Faites cuire les pommes de terre dans de l'eau bouillante salée. Égouttez-les, passez-les à l'eau froide pour arrêter la cuisson, puis égouttez-les de nouveau.

Versez 1 cuillerée à soupe d'huile d'olive dans une poêle à feu vif, ajoutez le poivron et faites revenir 2 minutes : il doit être légèrement coloré mais encore croquant. Ajoutez les courgettes et les tomates, et faites cuire jusqu'à ce que les tomates commencent à se défaire. Coupez les pommes de terre en quatre dans le sens de la longueur et ajoutez-les dans la poêle. Enfin, incorporez les oignons nouveaux et les feuilles de basilic. Salez et poivrez.

Mettez les limandes-soles sur une plaque de four tapissée de papier d'aluminium. Assaisonnez de sel et de poivre, et arrosez du reste d'huile d'olive. Placez sous un gril préchauffé et faites cuire 5 à 6 minutes de chaque côté. Déposez quelques noix de beurre sur les poissons et arrosez d'un filet de jus de citron. Servez avec la ratatouille chaude.

Pour un couscous à la ratatouille à servir en accompagnement, faites cuire la ratatouille comme ci-dessus, mais supprimez les pommes de terre. Incorporez 300 g de couscous cuit. Ajoutez 1 grosse poignée de feuilles de basilic ciselées et quelques olives noires dénoyautées.

saint-jacques citron-gingembre

Pour **3 à 4 personnes**
Préparation **10 minutes**
Cuisson **10 minutes**

15 g de **beurre**
2 c. à s. d'**huile végétale**
8 grosses **noix de Saint-Jacques** nettoyées (voir page12) sans le corail (facultatif), coupées en tranches épaisses
½ bouquet d'**oignons nouveaux** coupé en fines rondelles, en biais
½ c. à c. de **curcuma**
3 c. à s. de **jus de citron**
2 c. à s. de **vin de riz chinois** ou de **xérès sec**
2 morceaux de **gingembre confit au sirop** hachés
sel et **poivre**

Faites chauffer un wok. Ajoutez le beurre et 1 cuillerée à soupe d'huile, et faites chauffer à feu doux jusqu'à ce qu'il mousse. Ajoutez les tranches de noix de Saint-Jacques et faites revenir 3 minutes. Retirez le wok du feu. À l'aide d'une écumoire, transvasez les noix de Saint-Jacques sur une assiette et réservez.

Remettez le wok sur feu moyen et faites-y chauffer le reste d'huile. Ajoutez les oignons nouveaux et le curcuma, et faites revenir quelques secondes. Versez le jus de citron et le vin de riz ou le xérès, portez à ébullition, puis incorporez le gingembre confit.

Remettez les noix de Saint-Jacques avec leur jus de cuisson dans le wok et réchauffez en remuant. Assaisonnez de sel et de poivre, et servez immédiatement.

Pour des noix de Saint-Jacques au gingembre, aux oignons nouveaux et aux noix de cajou, faites revenir 1 cuillerée à soupe de gingembre frais finement haché dans 1 cuillerée à soupe d'huile végétale. Ajoutez 2 cuillerées à soupe de sauce d'huître et 1 cuillerée à soupe d'eau, réchauffez puis mettez de côté. Dans une autre poêle, faites chauffer un peu d'huile végétale jusqu'à ce qu'elle soit très chaude ; assaisonnez 8 noix de Saint-Jacques nettoyées de sel et de poivre, et faites cuire 1 minute de chaque côté. Incorporez-les dans la sauce d'huître et ajoutez 4 oignons nouveaux coupés en rondelles et 50 g de noix de cajou salées. Servez immédiatement.

curry de lotte et patates douces

Pour **4 personnes**
Préparation **15 minutes**
Cuisson **18 à 20 minutes**

2 tiges de **citronnelle** grossièrement hachées
2 **échalotes** grossièrement hachées
1 gros **piment rouge** épépiné
1 gousse d'**ail**
1,5 cm de **gingembre frais** épluché et haché
3 c. à s. d'**huile d'arachide**
400 ml de **lait de coco**
2 **patates douces** coupées en dés de 1,5 cm de côté
2 grosses **queues de lotte** coupées en gros morceaux
2 c. à s. de **sauce de poisson thaïe**
1 c. à c. de **sucre roux**
1 ½ c. à s. de **jus de citron vert**
sel et **poivre**
2 c. à s. de **coriandre** grossièrement hachée pour décorer

Mixez la citronnelle, les échalotes, le piment, l'ail, le gingembre et l'huile dans un robot, jusqu'à la formation d'une pâte homogène.

Faites chauffer une casserole à feu moyen et faites revenir la pâte 2 minutes, puis ajoutez le lait de coco. Portez à ébullition et faites cuire 5 minutes, jusqu'à obtention d'une consistance crémeuse. Ajoutez les patates douces et faites cuire jusqu'à ce qu'elles soient tendres.

Ajoutez les queues de lotte quand les patates douces sont presque cuites et laissez mijoter 5 minutes, jusqu'à ce qu'elles soient fermes. Ajoutez enfin la sauce de poisson, le sucre et le jus de citron vert. Goûtez et rectifiez l'assaisonnement, puis garnissez de coriandre et servez avec du riz gluant thaï.

Pour de la lotte à la thaïe et de la citrouille rôtie au piment, mélangez 2 cuillerées à soupe de pâte de curry rouge thaïe avec 4 cuillerées à soupe de yaourt nature. Laissez mariner 2 queues de lotte coupées en gros morceaux dans cette préparation, pendant au moins 20 minutes au réfrigérateur ou toute la nuit. Faites cuire à la poêle les morceaux de poisson dans un peu d'huile végétale. Coupez 1 citrouille de 500 g en deux, retirez les graines et détaillez la chair en dés de 2,5 cm de côté. Parsemez de flocons de piment séché et faites rôtir 15 à 20 minutes dans un four préchauffé à 200 °C, en retournant de temps en temps. Servez avec du yaourt nature mélangé à de la coriandre ciselée.

tourte saumon-crevette-épinard

Pour **6 personnes**
Préparation **30 minutes**
Cuisson **40 à 45 minutes**

675 g de **pâte feuilletée**
2 c. à s. de **farine** + un peu pour le plan de travail
25 g de **beurre**
2 **échalotes** finement hachées
le **zeste** râpé de 1 **citron**
300 ml de **crème liquide**
½ c. à c. de **noix de muscade** râpée
250 g de **feuilles d'épinard surgelées** décongelées
500 g de **filet de saumon** désarêté, sans la peau et détaillé en dés
250 g de **crevettes crues** décortiquées
1 c. à s. d'**estragon** ciselé
1 **œuf** battu
sel et **poivre**

Abaissez la moitié de la pâte feuilletée sur un plan de travail fariné, pour obtenir un rectangle de 25 x 35 cm. Répétez l'opération avec le reste de la pâte. Couvrez avec des torchons propres et laissez reposer.

Faites fondre le beurre dans une casserole puis faites revenir doucement les échalotes et le zeste de citron 3 minutes. Incorporez la farine et remuez 30 secondes. Retirez du feu, incorporez la crème liquide puis faites chauffer doucement, en remuant sans cesse, pendant 2 minutes pour faire épaissir le mélange. Retirez du feu et assaisonnez de noix de muscade, de sel et de poivre. Couvrez avec du film alimentaire et laissez refroidir.

Égouttez bien les épinards, salez et poivrez. Étalez 1 rectangle de pâte sur une grande plaque de four tapissée de papier sulfurisé, et étalez les épinards dessus, en laissant une marge de 2,5 cm près des bords courts et de 5 cm près des bords longs.

Incorporez le saumon, les crevettes et l'estragon dans la préparation à la crème refroidie, et disposez-la sur les épinards. Badigeonnez les bords de la pâte avec de l'eau et recouvrez de l'autre rectangle de pâte, en appuyant bien sur les bords. Ôtez l'excédent de pâte sur les bords puis pressez fermement pour sceller. Badigeonnez d'œuf battu et percez le dessus.

Faites cuire 20 minutes sur une plaque dans un four préchauffé à 220 °C, puis baissez la température à 190 °C et poursuivez la cuisson 15 minutes.

lotte en robe de jambon de Parme

Pour **4 personnes**
Préparation **15 minutes**
Cuisson **10 à 15 minutes**

2 grosses **queues de lotte** ou 4 petites
12 tranches de **jambon de Parme**
100 ml de **vin blanc**
4 c. à s. de **jus de citron**
500 g de **pommes de terre nouvelles** brossées
2 gros brins de **menthe** + 12 feuilles coupées en fines lanières
25 g de **beurre**
300 g de **petits pois surgelés** décongelés
sel et **poivre**

Assaisonnez les queues de lotte avec du poivre seulement et enveloppez-les dans le jambon de Parme. Placez-les dans un plat allant au four et faites rôtir 5 minutes dans un four préchauffé à 190 °C. Versez le vin et le jus de citron dans le plat, remettez dans le four et poursuivez la cuisson 5 minutes.

Pendant ce temps, faites cuire les pommes de terre dans de l'eau bouillante salée, avec les brins de menthe, pendant 10 minutes. Égouttez-les, incorporez un peu de beurre, salez et poivrez.

Faites cuire les petits pois dans de l'eau bouillante salée. Égouttez-les puis écrasez-les légèrement avec le dos d'une fourchette. Incorporez le reste de beurre et les feuilles de menthe. Assaisonnez de sel et de poivre.

Sortez le poisson du four et coupez en quatre ou en deux, en fonction du nombre de queues que vous avez. Servez le poisson rôti sur les petits pois écrasés, avec les pommes de terre nouvelles. Arrosez de 1 cuillerée de jus de cuisson.

Pour une purée de petits pois et fèves à la menthe à servir en accompagnement, faites bouillir 250 g de petits pois surgelés décongelés et 250 g de fèves surgelées décongelées pendant 1 minute. Égouttez et placez dans un robot de cuisine, avec 50 ml de crème fraîche épaisse et 1 petite poignée de feuilles de menthe. Mixez jusqu'à obtention d'une purée onctueuse. Assaisonnez de sel et de poivre.

tagine de poisson à la marocaine

Pour **4 personnes**
Préparation **15 minutes**
Cuisson **55 minutes**

750 g de **filets de poisson blanc ferme** (**cabillaud**, **bar** ou **lotte** par exemple), désarêtés et sans la peau, détaillés en morceaux de 5 cm de côté
½ c. à c. de **graines de cumin**
½ c. à c. de **graines de coriandre**
6 capsules de **cardamome**
4 c. à s. d'**huile d'olive**
2 **petits oignons** coupés en fines rondelles
2 gousses d'**ail** écrasées
¼ de c. à c. de **curcuma**
1 bâton de **cannelle**
40 g de **raisins sultanines**
25 g de **pignons de pin** légèrement grillés
150 ml de **bouillon de poisson** (voir page 15)
le **zeste** finement râpé de 1 **citron** + 1 c. à s. de **jus de citron**
sel et **poivre**
persil ciselé pour décorer

Assaisonnez le poisson de sel et de poivre.

À l'aide d'un pilon et d'un mortier, écrasez les graines de cumin, de coriandre et les capsules de cardamome. Jetez les capsules et laissez les graines.

Faites chauffer l'huile d'olive dans une grande poêle peu profonde et faites dorer doucement les oignons 6 à 8 minutes. Ajoutez l'ail, les épices écrasées, le curcuma et la cannelle, et faites revenir doucement pendant 2 minutes. Ajoutez les morceaux de poisson, en les retournant jusqu'à ce qu'ils soient recouverts d'huile. Transvasez le poisson et les oignons dans une cocotte allant au four et parsemez de raisins sultanines et de pignons de pin.

Ajoutez le bouillon, le zeste et le jus de citron dans la cocotte et portez à ébullition. Versez la préparation autour du poisson, puis couvrez et faites cuire 40 minutes dans un four préchauffé à 160 °C. Décorez de persil avant de servir.

Pour un couscous à la grenade et à la coriandre à servir en accompagnement, portez 400 ml de bouillon de légumes à ébullition. Versez-le sur 300 g de semoule dans un récipient résistant à la chaleur, couvrez de film alimentaire et laissez reposer pendant 5 minutes. Incorporez les graines de 1 grenade et 2 cuillerées à soupe de feuilles de coriandre grossièrement hachées. Versez 2 cuillerées à soupe d'huile d'olive et le jus de ½ citron, mélangez et assaisonnez de sel et de poivre.

cabillaud gratiné au fromage

Pour **4 personnes**
Préparation **5 minutes**
Cuisson **15 minutes**

2 c. à s. de **moutarde à l'ancienne**
3 c. à s. de **bière** ou de **lait**
250 g de **gruyère** ou de **cheddar** râpés
2 c. à s. d'**huile d'olive**
4 morceaux de **filet de cabillaud** d'environ 200 g chacun, désarêtés
sel et **poivre**

Mélangez la moutarde, la bière ou le lait et le fromage dans une petite casserole. Laissez fondre le fromage à feu doux, en remuant de temps en temps et sans laisser bouillir, sinon il va cailler. Retirez la casserole du feu, laissez refroidir et épaissir.

Faites chauffer une poêle à feu moyen avec l'huile d'olive. Assaisonnez les morceaux de cabillaud et placez-les dans la poêle, côté peau vers le bas. Faites cuire 4 à 5 minutes jusqu'à ce que la peau soit croustillante, puis retournez et poursuivez la cuisson 1 minute de l'autre côté.

Étalez la préparation au fromage sur les filets de cabillaud et placez sous un gril préchauffé. Grillez jusqu'à ce que le fromage soit doré.

Pour une sauce à la moutarde à l'ancienne et crème fraîche à servir en accompagnement, faites suer 2 échalotes émincées et 1 gousse d'ail écrasée dans une petite casserole, dans un peu d'huile d'olive. Ajoutez 100 ml de bouillon de poulet et 200 ml de crème fraîche épaisse dans la casserole, et portez à ébullition. Incorporez 1 cuillerée à soupe de moutarde à l'ancienne.

dorade en croûte de sel

Pour **4 personnes**
Préparation **15 minutes**
Cuisson **25 minutes**

1,75 kg de **gros sel de mer**
1,25 à 1,5 kg de **dorade**
1 petit bouquet d'**herbes** (**thym**, **persil** et **fenouil** par exemple) + un peu pour décorer
1 **citron** coupé en rondelles + quartiers de citron pour servir
poivre
aïoli au citron vert (voir page 178) pour servir

Tapissez de papier d'aluminium un plat à rôtir assez grand pour contenir le poisson entier, et recouvrez le fond d'une fine couche de sel. Rincez le poisson mais ne le séchez pas, puis placez-le sur le sel, en diagonale si nécessaire. Farcissez-le avec les herbes et les rondelles de citron, et poivrez généreusement.

Remontez le papier d'aluminium autour du poisson, de façon qu'il soit entouré d'une couche de sel d'environ 1,5 cm d'épaisseur.

Saupoudrez le poisson d'une couche de sel uniforme d'environ 1 cm d'épaisseur. Versez ou vaporisez un peu d'eau sur le sel et faites cuire 25 minutes dans un four préchauffé à 200 °C. Pour vérifier que le poisson est cuit, percez la partie la plus épaisse avec une brochette en métal et laissez-la quelques secondes avant de la retirer. Si la brochette est très chaude, le poisson est cuit.

Soulevez la croûte de sel et ôtez la peau. Servez le poisson détaillé en gros morceaux, et détachez l'arête centrale et la tête pour pouvoir servir le filet inférieur. Garnissez de quartiers de citron et d'herbes, et servez avec l'aïoli au citron vert.

Pour une dorade en croûte d'herbes fraîches, mélangez 1 gros bouquet de persil et 1 cuillerée à soupe de romarin ciselé avec 250 g de chapelure fraîche et 150 g de beurre ramolli. Salez et poivrez. Étalez la préparation sur le côté sans peau de 4 gros filets de dorade et faites cuire 10 minutes dans un four préchauffé à 180 °C. Servez avec de l'aïoli au citron vert.

truite panée au beurre blanc

Pour **4 personnes**
Préparation **7 minutes**
Cuisson **18 minutes**

125 g de **petits flocons d'avoine**
3 c. à s. de **persil** ciselé
1 c. à s. de **romarin** ciselé
4 **truites arc-en-ciel** ou **truites de mer** vidées, écaillées et levées en filets
3 c. à s. d'**huile d'olive**
1 **échalote** émincée
2 c. à s. de **vin blanc**
1 c. à s. de **vinaigre de vin blanc**
125 g de **beurre** coupé en dés
1 c. à s. de **jus de citron**
sel et **poivre**
mayonnaise au citron pour servir (facultatif, voir ci-contre)

Mélangez les flocons d'avoine, le persil et le romarin avec un peu de sel et de poivre, et recouvrez les filets de truite de ce mélange. Faites chauffer l'huile d'olive dans une poêle. Faites revenir les filets en plusieurs fois, pendant environ 3 minutes de chaque côté ou jusqu'à ce qu'ils soient croustillants et dorés.

Pendant ce temps, mettez l'échalote, le vin et le vinaigre dans une petite casserole et portez à ébullition, puis laissez bouillonner jusqu'à ce qu'il ne reste plus que 1 cuillerée à soupe de liquide. Retirez la casserole du feu et incorporez le beurre petit à petit, en fouettant. La chaleur résiduelle de la casserole va faire fondre le beurre. Ajoutez ensuite le jus de citron et assaisonnez de sel et de poivre. Servez immédiatement avec la truite et la mayonnaise au citron, si vous le souhaitez (voir ci-dessous).

Pour une mayonnaise au citron à servir en accompagnement, mettez 1 jaune d'œuf dans un récipient, avec ½ cuillerée à café de moutarde de Dijon. Fouettez et versez progressivement 250 ml d'huile d'olive légère, en remuant sans cesse. Incorporez ensuite le jus de ½ citron pressé et assaisonnez de sel et de poivre. Fouettez encore une fois.

fish and chips

Pour **4 personnes**
Préparation **25 minutes**
Cuisson **30 minutes**

125 g de **farine avec levure incorporée** + un peu pour saupoudrer le poisson
½ c. à c. de **levure chimique**
¼ de c. à c. de **curcuma**
200 ml d'**eau froide**
1,5 kg de grosses **pommes de terre**
1 morceau de **filet de cabillaud** ou **de haddock** de 750 g, désarêté et sans la peau
huile de tournesol pour la friture
sel et **poivre**
petits pois écrasés à la menthe (voir page 210) pour servir

Mélangez la farine, la levure, le curcuma et 1 pincée de sel dans un récipient et creusez un puits au centre. Ajoutez la moitié de l'eau dans le puits. Mélangez au fouet jusqu'à obtention d'une pâte homogène, puis incorporez le reste d'eau.

Coupez les pommes de terre en rondelles de 1,5 cm d'épaisseur, puis détaillez-les en grosses frites. Plongez-les dans de l'eau froide. Séchez le poisson en le tapotant avec du papier absorbant et détaillez-le en 4 portions. Assaisonnez légèrement et saupoudrez de farine. Égouttez les frites et séchez-les avec du papier absorbant.

Faites chauffer au moins 7 cm d'huile dans une friteuse ou une grande casserole, à 180-190 °C. Faites frire la moitié des frites pendant 10 minutes. Égouttez et gardez au chaud pendant que vous faites frire le reste.

Plongez 2 morceaux de poisson dans la pâte, puis dans l'huile chaude. Faites frire 4 à 5 minutes. Égouttez et gardez au chaud. Servez avec les frites et des petits pois écrasés à la menthe.

Pour un chutney de tomate à servir en accompagnement, hachez grossièrement 1,25 kg de tomates et hachez finement 1 oignon. Mettez dans une casserole, avec 150 g de sucre en poudre et 150 ml de vinaigre de malt, portez à ébullition et laissez mijoter doucement 1 heure, jusqu'à obtention de la consistance d'une confiture, en remuant souvent. Laissez refroidir et conservez dans un bocal stérilisé.

sole au citron et à la sauge

Pour **4 personnes**
Préparation **3 minutes**
Cuisson **30 minutes**

500 g de **pommes de terre nouvelles** brossées
quelques brins de **romarin**
2 c. à s. d'**huile d'olive**
2 **soles** levées en filets et désarêtées
le **zeste** râpé et le **jus** de 1 **citron**
50 ml de **crème fraîche épaisse**
6 feuilles de **sauge** coupées en fines lanières
sel et **poivre**

Faites cuire les pommes de terre dans de l'eau bouillante salée 6 à 8 minutes. Égouttez-les et placez-les dans un plat allant au four, avec le romarin, arrosez de 1 cuillerée à soupe d'huile d'olive puis salez. Faites rôtir 20 minutes dans un four préchauffé à 200 °C. Éteignez le four mais laissez-les dedans.

Faites chauffer 1 cuillerée à soupe d'huile d'olive dans une grande poêle. Salez et poivrez les soles, et mettez-les dans la poêle chaude, côté peau vers le bas. Faites-les cuire 3 à 4 minutes, puis retournez-les et poursuivez la cuisson encore 1 minute. Sortez les poissons de la poêle et gardez-les au chaud pendant que vous préparez la sauce.

Mettez le zeste et le jus de citron, la crème fraîche et la sauge dans la poêle, et mélangez bien. Ajoutez un peu d'eau si la sauce devient trop épaisse. Versez la sauce sur le poisson et servez avec les pommes de terre nouvelles rôties.

Pour une sole poêlée et une salade chaude pommes de terre-fenouil, mettez 500 g de pommes de terre nouvelles cuites encore chaudes dans un saladier, avec 1 bulbe de fenouil émincé. Faites revenir 1 cuillerée à soupe de graines de moutarde jaune dans un peu d'huile, jusqu'à ce qu'elles commencent à sauter, puis ajoutez-les dans le saladier. Préparez la sauce comme ci-dessus, en supprimant la sauge. Versez sur les pommes de terre et le fenouil, assaisonnez et servez avec la sole poêlée comme ci-dessus.

papillotes d'espadon à l'orientale

Pour **4 personnes**
Préparation **20 minutes**
Cuisson **20 minutes**

2 c. à s. d'**huile de sésame** + un peu pour badigeonner le papier sulfurisé
4 **filets d'espadon** d'environ 200 g chacun, désarêtés et sans la peau
75 g de **shiitakés** coupés en tranches
50 g de **pois mange-tout** coupés en deux dans le sens de la longueur
1 **piment rouge doux** épépiné et coupé en fines tranches
40 g de **gingembre frais** épluché et râpé
2 gousses d'**ail** écrasées
2 c. à s. de **sauce soja claire**
2 c. à s. de **jus de citron vert**
2 c. à s. de **sauce douce au piment**
4 c. à s. de **coriandre** ciselée

Découpez 4 carrés de papier sulfurisé de 30 cm de côté. Badigeonnez le centre de chacun avec un peu d'huile de sésame. Déposez 1 filet de poisson par carré. Mélangez les champignons, les pois mange-tout et le piment, et disposez sur le poisson.

Mélangez le reste d'huile, le gingembre et l'ail, et nappez-en les légumes. Remontez les côtés du papier au-dessus du poisson, pliez les bords puis aplatissez doucement.

Aplatissez les extrémités et rabattez-les pour fermer les papillotes. Déposez celles-ci sur une plaque et faites cuire 20 minutes dans un four préchauffé à 190 °C. Ouvrez 1 papillote pour vérifier si le poisson est cuit.

Mélangez la sauce soja, le jus de citron vert, la sauce douce au piment et la coriandre. Entrouvrez les papillotes et versez la sauce sur le poisson avant de servir.

Pour des papillotes de moules à l'orientale, répartissez 1 kg de moules nettoyées (voir page 12), 1 piment rouge émincé, 2,5 cm de gingembre frais râpé et 1 gousse d'ail hachée sur 4 grands carrés de papier sulfurisé. Mélangez 125 ml de lait de coco et 1 cuillerée à soupe de sauce de poisson thaïe, assaisonnez et répartissez dans les papillotes. Repliez les bords du papier pour les fermer. Faites cuire 6 à 8 minutes dans un four préchauffé à 200 °C. Ouvrez 1 papillote pour vérifier que les moules sont ouvertes ; si elles sont encore fermées, remettez-les dans le four pour quelques minutes. Parsemez de coriandre ciselée et servez avec du pain.

filets de dorade au fenouil

Pour **4 personnes**
Préparation **4 minutes**
Cuisson **25 minutes**

50 g de **beurre**
3 c. à s. d'**huile d'olive**
2 bulbes de **fenouil** coupés en huit, feuilles réservées
3 c. à s. de **vermouth sec**
4 c. à s. d'**eau**
2 c. à c. de **graines de fenouil**
1 **piment rouge séché**
4 **filets de dorade** d'environ 200 g chacun, désarêtés
8 **tomates semi-séchées** émincées, avec un peu d'huile du bocal
1 c. à s. de **vinaigre balsamique épais**
sel et **poivre**

Faites chauffer le beurre et 1 cuillerée à soupe d'huile d'olive dans une sauteuse. Faites-y revenir doucement le fenouil. Ajoutez le vermouth et l'eau, puis couvrez et faites cuire à feu doux, jusqu'à ce que le fenouil soit tendre. Si nécessaire, ajoutez un peu d'eau.

Faites chauffer une poêle et faites revenir les graines de fenouil et le piment 1 minute. Écrasez le tout avec un pilon dans un mortier.

Incisez la peau des filets de dorade et arrosez d'un peu d'huile. Parsemez de graines de fenouil et de piment écrasés, salez et poivrez. Faites chauffer le reste d'huile dans une poêle chaude et placez-y le poisson, côté peau vers le bas. Faites cuire environ 4 minutes, puis retournez et faites cuire encore 1 minute de l'autre côté.

Déposez le fenouil braisé au centre de l'assiette et ajoutez le poisson dessus. Parsemez de feuilles de fenouil et de quelques tomates semi-séchées, et arrosez de vinaigre et de jus de braisage.

Pour une salade croquante au fenouil à servir en accompagnement, coupez 2 bulbes de fenouil et 10 radis en fines tranches. Plongez-les dans de l'eau glacée pour 10 minutes, puis égouttez-les. Mélangez 1 piment rouge épépiné et finement haché, le jus de 1 citron vert et 3 cuillerées à soupe d'huile d'olive, et assaisonnez-en la salade. Servez avec la dorade et arrosez de vinaigre balsamique.

carrelet farci au chorizo

Pour **4 personnes**
Préparation **20 minutes**
Cuisson **20 à 25 minutes**

100 g de **chorizo**
50 g de **chapelure fraîche**
2 c. à s. de **purée de tomate séchée**
5 c. à s. d'**huile d'olive**
2 gros **carrelets** coupés en 8 filets, désarêtés
8 petites **tomates mûres** ou 4 grosses, coupées en deux
quelques brins de **thym**
un filet de **vin blanc**
sel et **poivre**

Coupez le chorizo en morceaux et hachez-le finement, dans un robot de cuisine ou avec un couteau. Ajoutez la chapelure, la purée de tomate séchée et 1 cuillerée à soupe d'huile d'olive. Mixez jusqu'à ce que le tout soit mélangé.

Déposez les filets de carrelet, côté peau vers le haut, sur un plan de travail. Étalez sur chacun une fine couche de la préparation au chorizo et roulez, en commençant par la partie épaisse.

Mettez le poisson dans un grand plat peu profond allant au four, et disposez les tomates et le thym autour. Arrosez du reste d'huile et du vin, et assaisonnez légèrement de sel et de poivre.

Faites cuire 20 à 25 minutes dans un four préchauffé à 200 °C.

Pour des rouleaux de carrelet aux herbes et à la tapenade, étalez 1 cuillerée à soupe de tapenade aux olives noires sur une face de 4 filets de carrelet sans la peau et désarêtés. Mélangez 1 cuillerée à soupe de menthe ciselée, 1 cuillerée à soupe de persil ciselé et le zeste râpé de 1 citron, assaisonnez de sel et de poivre. Parsemez sur la tapenade. Roulez le poisson, en commençant par la partie épaisse, et fixez avec une pique en bois. Disposez les rouleaux dans un plat allant au four et faites rôtir 8 minutes dans un four préchauffé à 180 °C.

saumon en croûte de raifort

Pour **4 personnes**
Préparation **10 minutes**
Cuisson **12 à 15 minutes**

4 **filets de saumon** d'environ 200 g chacun, avec la peau et désarêtés
4 c. à s. de **sauce au raifort**
125 g de **chapelure fraîche**
20 **asperges** parées
1 c. à s. d'**huile d'olive**
4 à 5 c. à s. de **crème fraîche**
4 c. à s. de **jus de citron**
1 c. à s. de **persil** ciselé
sel et **poivre**

Mettez les filets de saumon dans un plat allant au four, côté peau vers le bas. Tartinez le dessus de chacun avec 1 cuillerée à soupe de sauce au raifort, puis saupoudrez de chapelure. Faites cuire 12 à 15 minutes dans un four préchauffé à 180 °C, jusqu'à ce que la chapelure soit dorée.

Pendant ce temps, faites blanchir les asperges dans de l'eau bouillante salée pendant 2 minutes. Égouttez-les, placez-les sur un gril en fonte très chaud, arrosez d'huile d'olive et faites griller. Assaisonnez de sel et de poivre.

Mélangez la crème fraîche, le jus de citron et le persil, salez et poivrez.

Servez le saumon avec les asperges grillées et la crème fraîche au citron.

Pour du saumon rôti à la sauce au raifort, assaisonnez le saumon de sel et de poivre, et faites-le rôtir au four comme ci-dessus. Faites cuire 1 échalote finement hachée dans une poêle avec un peu d'huile d'olive. Retirez la poêle du feu et ajoutez 2 cuillerées à soupe de sauce au raifort et 6 cuillerées à soupe de crème fraîche. Assaisonnez de sel et de poivre, et servez avec le saumon rôti.

burgers de merlu pané et petits pois

Pour **2 personnes**
Préparation **12 minutes**
Cuisson **10 à 12 minutes**

25 g de **petits pois surgelés**
25 g de **beurre**
15 g de **menthe** ciselée
20 g de **chapelure fraîche**
le **zeste** finement râpé de 1 **citron**
15 g de **persil** ciselé
1 **œuf** légèrement battu
2 **filets de merlu** d'environ 125 g chacun, désarêtés
75 ml d'**huile végétale**
2 gros **petits pains mous** farinés, coupés en deux dans l'épaisseur
sel et **poivre**
sauce tartare pour servir

Faites cuire les petits pois dans de l'eau bouillante 4 minutes. Égouttez-les et remettez-les dans la casserole, avec le beurre, du sel et du poivre. Écrasez les petits pois, incorporez la menthe et réservez.

Mélangez la chapelure avec le zeste de citron, le persil, du sel et du poivre, et étalez sur une grande assiette. Versez l'œuf battu dans un bol peu profond et plongez-y les filets de merlu avant de les rouler dans la chapelure, en vous assurant que la chair soit entièrement recouverte.

Faites chauffer l'huile dans une poêle à feu moyen-fort. Faites cuire les filets de merlu 4 minutes, en les retournant 1 fois.

Étalez les petits pois écrasés sur la base des petits pains et disposez le poisson dessus. Recouvrez avec les moitiés supérieures, puis faites griller les burgers 2 à 3 minutes dans un appareil à croque-monsieur. Coupez chaque burger en quatre et servez avec de la sauce tartare.

Pour des sandwichs au merlu pané et au coleslaw, faites cuire le merlu comme ci-dessus. Dans un récipient, râpez grossièrement 2 carottes, râpez finement 100 g de chou blanc et 100 g de chou rouge, puis ajoutez le zeste râpé de 1 citron, 1 cuillerée à café de moutarde de Dijon, 1 cuillerée à soupe de mayonnaise et 1 cuillerée à soupe de crème fraîche. Salez et poivrez, ajoutez quelques gouttes de Tabasco. Disposez le poisson dans les petits pains grillés et ajoutez la salade de chou dessus.

tarte aux anchois et aux oignons

Pour **4 personnes**
Préparation **25 minutes**
+ réfrigération
Cuisson **45 minutes**

25 g de **beurre**
2 c. à s. d'**huile d'olive**
2 gros **oignons** coupés en fines rondelles
2 brins de **thym**
2 **œufs**
100 ml de **lait**
100 ml de **crème fraîche épaisse**
2 **tomates** coupées en fines rondelles
8 **filets d'anchois** en conserve égouttés
sel et **poivre**

Pâte
200 g de **farine** + un peu pour le plan de travail
85 g de **beurre demi-sel** froid coupé en dés
1 **œuf** + 1 **jaune d'œuf**

Mixez la farine, le beurre, l'œuf et le jaune d'œuf dans un robot, jusqu'à la formation d'une pâte souple. Si la pâte ne forme pas une boule, ajoutez quelques gouttes d'eau froide. Sortez la pâte du robot et pétrissez-la jusqu'à ce qu'elle soit homogène. Enveloppez-la de film alimentaire et placez-la au réfrigérateur pour au moins 30 minutes.

Abaissez la pâte à 3 mm d'épaisseur sur un plan de travail fariné, puis foncez-en un moule à tarte cannelé de 23 cm de diamètre. Retirez l'excédent de pâte, puis réfrigérez 1 heure.

Tapissez le fond de tarte d'un disque de papier sulfurisé et recouvrez de haricots secs, puis placez dans un four préchauffé à 180 °C pour 10 à 12 minutes. Sortez du four, retirez le papier et les haricots. Remettez dans le four pour 2 minutes. Sortez et réservez, mais n'éteignez pas le four.

Pendant ce temps, faites chauffer le beurre et l'huile d'olive dans une poêle, puis faites revenir les oignons et le thym à feu doux pendant 20 minutes.

Jetez le thym et étalez les oignons sur le fond de tarte. Mélangez bien les œufs, le lait et la crème fraîche dans un récipient, salez et poivrez puis versez sur les oignons. Faites cuire au four 10 minutes. Sortez du four et disposez les tomates et les anchois sur la tarte, puis remettez au four pour 10 à 15 minutes. Laissez refroidir 5 minutes avant de servir.

galettes de crabe

Pour **4 personnes**
Préparation **15 minutes**
Cuisson **20 à 30 minutes**

2 c. à s. d'**huile d'olive**
1 **oignon** haché
2 **poivrons verts** évidés, épépinés et émincés
2 gousses d'**ail** écrasées
½ botte d'**oignons nouveaux** émincée
125 g de **chapelure fraîche**
250 g de **chair de crabe**
1 c. à s. de **sauce Worcestershire**
½ c. à c. de **poivre de Cayenne**
3 c. à s. de **persil** ciselé
1 **œuf** battu
huile de tournesol
sel
laitue iceberg pour servir
chutney de tomate maison (voir page 198) pour servir (facultatif)

Faites chauffer l'huile d'olive dans une poêle, puis faites revenir doucement l'oignon et les poivrons verts 5 minutes. Ajoutez l'ail et les oignons nouveaux, et faites cuire 5 minutes. Transvasez dans un récipient.

Ajoutez la chapelure, la chair de crabe, la sauce Worcestershire, le poivre de Cayenne, le persil et l'œuf battu dans le récipient, et assaisonnez avec un peu de sel. Mélangez bien avec une cuillère en bois ou avec les mains.

Divisez en 4 portions égales et formez 4 boulettes. Aplatissez-les en forme de galettes.

Faites chauffer une très fine couche d'huile de tournesol dans une grande poêle. Faites cuire les galettes (si nécessaire en 2 fois) 4 à 5 minutes de chaque côté. Servez-les sur un lit de laitue et recouvrez de chutney de tomate si vous le souhaitez.

Pour des quesadillas au crabe, badigeonnez 2 tortillas avec un peu d'huile végétale, sur 1 seul côté. Mélangez 250 g de chair de crabe avec 2 cuillerées à soupe de mayonnaise, salez et poivrez puis ajoutez 1 cuillerée à soupe d'estragon ciselé. Mélangez. Étalez sur le côté non huilé des 2 tortillas. Coupez 2 tomates en rondelles et placez-les sur le mélange au crabe. Recouvrez d'une autre tortilla, puis badigeonnez le dessus d'huile d'olive. Faites chauffer une poêle à feu vif et faites cuire les quesadillas à sec pendant 1 minute de chaque côté. Coupez chaque quesadilla en 6 morceaux et servez avec de la salade de roquette.

saumon aux légumes asiatiques

Pour **4 personnes**
Préparation **15 minutes**
Cuisson **25 minutes**

4 gros **steaks de saumon** d'environ 200 g chacun
huile végétale
1 c. à s. de **pâte de tamarin**
2 à 3 c. à s. de **sauce soja**
15 g de **gingembre frais** râpé
2 c. à c. de **sucre en poudre**
2 gousses d'**ail** écrasées
1 **piment vert doux** coupé en fines rondelles
1 c. à c. de **farine de maïs**
250 g de **pak choi**
8 **oignons nouveaux** coupés en deux dans le sens de la longueur
15 g de feuilles de **coriandre** ciselées

Mettez les steaks de saumon sur une grille huilée, dans un plat à rôtir ; versez 450 ml d'eau bouillante dans le plat. Couvrez bien de papier d'aluminium et faites cuire 15 minutes dans un four préchauffé à 180 °C, jusqu'à ce que le saumon soit presque cuit.

Pendant ce temps, mettez la pâte de tamarin dans une petite casserole, versez 175 ml d'eau et mélangez. Incorporez la sauce soja, le gingembre, le sucre, l'ail et le piment, et réchauffez doucement pendant 5 minutes. Mélangez la farine de maïs avec 1 cuillerée à soupe d'eau, puis ajoutez dans la casserole. Faites chauffer doucement, en remuant, pendant 1 à 2 minutes, pour faire épaissir le mélange.

Coupez le pak choi en quatre dans le sens de la longueur et disposez les morceaux autour du saumon sur la grille, avec les oignons nouveaux. Couvrez à nouveau et remettez dans le four pour 8 à 10 minutes.

Incorporez la coriandre dans la sauce. Dressez le poisson et les légumes sur des assiettes de service chaudes, versez la sauce dessus et servez.

Pour du saumon au pak choi, piment et gingembre, faites chauffer 2 cuillerées à soupe d'huile de sésame dans un wok à feu vif, puis faites revenir 1 piment émincé et 1 cm de gingembre frais émincé. Ajoutez les feuilles de 3 pak choi et faites revenir pendant 1 minute, ou jusqu'à ce que les feuilles soient flétries. Incorporez 2 cuillerées à soupe de sauce soja et servez avec le saumon.

barbecue

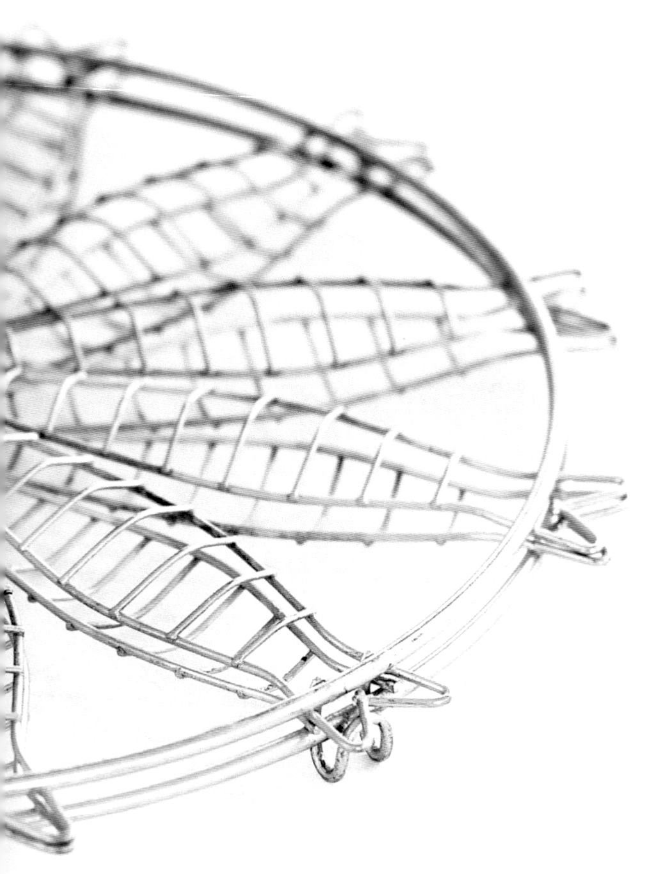

bar au citron vert et à la coriandre

Pour **4 personnes**
Préparation **20 minutes**
+ réfrigération
Cuisson **10 minutes**

150 g de **beurre** ramolli
3 c. à s. de **coriandre** ciselée + 1 petit bouquet
1 gros **piment rouge** épépiné et émincé
2 **citrons verts**
4 **bars entiers** évidés et écaillés
2 c. à s. d'**huile végétale**
sel et **poivre**

Mélangez le beurre, la coriandre ciselée, le piment et le zeste râpé des citrons verts. Salez et poivrez. Étalez cette préparation sur du film alimentaire et roulez pour former une saucisse. Tordez les extrémités pour sceller et placez au réfrigérateur pour faire durcir.

Faites 3 incisions de chaque côté dans la chair des poissons, sans la transpercer. Coupez les citrons zestés en rondelles et disposez-en quelques-unes dans les incisions de chaque poisson, avec des brins de coriandre. Badigeonnez d'huile l'extérieur des poissons et assaisonnez les 2 côtés de sel et de poivre.

Placez les bars directement sur la grille d'un barbecue à température moyenne-forte. Faites cuire 5 minutes de chaque côté. La meilleure façon de vérifier si le poisson est cuit est de regarder à l'intérieur si la chair est devenue opaque, ou si le poisson est ferme au toucher.

Coupez le beurre en fines rondelles et placez 1 tranche dans chacune des incisions, d'un seul côté. Laissez fondre le beurre et servez avec de la salade verte.

Pour des papillotes de bar au barbecue, beurrez 4 gros carrés de papier d'aluminium et disposez 1 bar au centre de chacun. Arrosez d'un filet d'huile d'olive et déposez dans chaque papillote quelques morceaux de piment et de gingembre émincés, ainsi que 2 rondelles de citron vert. Fermez les papillotes et placez-les sur un barbecue à température moyenne-forte pour 8 à 10 minutes.

brochettes de crevettes

Pour **4 personnes**
Préparation **10 minutes**
+ marinade
Cuisson **8 minutes**

5 tiges de **citronnelle**
4 c. à s. de **sauce douce au piment**
+ un peu pour servir
2 c. à s. de **coriandre** ciselée
2 c. à s. d'**huile de sésame**
20 **crevettes tigrées crues**, décortiquées mais avec la queue

Retirez les feuilles extérieures de 1 tige de citronnelle. Coupez-la en fines rondelles et mettez-les dans un récipient avec la sauce douce au piment, la coriandre et l'huile de sésame. Ajoutez les crevettes, couvrez et laissez mariner au réfrigérateur 1 heure ou toute la nuit.

Sortez les crevettes de la marinade. Prenez les 4 tiges de citronnelle restantes et épluchez-les pour obtenir des fines brochettes. Faites un trou à l'endroit le plus épais de chaque crevette, à l'aide d'une brochette en métal, puis enfilez 5 crevettes sur chaque brochette de citronnelle.

Placez les brochettes de crevettes sur un barbecue et faites cuire 4 minutes de chaque côté : les crevettes doivent être roses et fermes au toucher.

Servez les crevettes dès que vous les retirez du barbecue, avec de la sauce douce au piment pour les tremper dedans.

Pour une sauce à la coriandre à servir avec des crevettes cuites simplement au barbecue, mixez 1 grosse poignée de feuilles de coriandre avec 200 ml de yaourt nature dans un robot. Ajoutez 1 cuillerée à café de sauce à la menthe et assaisonnez de sel et de poivre.

espadon pili-pili et salsa de tomate

Pour **4 personnes**
Préparation **7 minutes**
+ marinade
Cuisson **11 à 16 minutes**

2 c. à s. de **sauce pili-pili**
2 c. à s. d'**huile d'olive**
4 **steaks d'espadon** d'environ 200 g chacun
6 **tomates olivettes mûres** coupées en deux
1 c. à s. de **persil** ciselé
1 c. à s. de **basilic** ciselé
1 **piment vert** épépiné et émincé
le **zeste** râpé de 1 **citron** + un peu de **jus**
sel et **poivre**
quartiers de **citron** pour servir

Mélangez la sauce pili-pili avec 1 cuillerée à soupe d'huile d'olive et frottez-en les steaks d'espadon. Laissez mariner au réfrigérateur pendant 30 minutes.

Placez les tomates sur un barbecue chaud et faites griller jusqu'à ce qu'elles noircissent légèrement. Cela devrait prendre environ 5 à 8 minutes. Retirez-les, hachez-les grossièrement et laissez refroidir légèrement. Incorporez le persil, le basilic, le piment et le zeste de citron. Enfin, ajoutez un peu de jus de citron et le reste d'huile, et assaisonnez de sel et de poivre.

Placez l'espadon mariné sur le barbecue et faites cuire 3 à 4 minutes de chaque côté. Servez avec la salsa de tomate et les quartiers de citron.

Pour un mélange de poivrons au barbecue à servir en accompagnement à la place de la salsa de tomate, évidez, épépinez et coupez en gros morceaux 1 poivron rouge, 1 poivron jaune et 1 poivron orange. Frottez-les avec un peu d'huile d'olive mélangée avec 1 cuillerée à soupe de sauce pili-pili. Placez les poivrons sur un barbecue chaud et faites cuire jusqu'à ce qu'ils noircissent légèrement et deviennent très tendres, puis retirez-les, hachez-les en plus petits morceaux et mélangez-les avec un peu d'huile d'olive, du jus de citron vert, 1 cuillerée à soupe de coriandre ciselée et 1 piment rouge épépiné et émincé. Assaisonnez de sel et de poivre.

filets de maquereau épicés

Pour **4 personnes**
Préparation **4 minutes**
Cuisson **5 à 6 minutes**

2 c. à s. d'**huile d'olive**
1 c. à s. de **paprika fumé**
1 c. à c. de **poivre de Cayenne**
4 **maquereaux** écaillés, levés en filets et désarêtés
2 **citrons verts** coupés en quartiers
sel et **poivre**

Mélangez l'huile d'olive, le paprika et le poivre de Cayenne avec un peu de sel et de poivre. Faites 3 incisions peu profondes dans la peau des maquereaux et badigeonnez-les avec cette huile épicée.

Mettez les quartiers de citron vert et les maquereaux sur un barbecue chaud, côté peau vers le bas, et faites cuire 4 à 5 minutes, jusqu'à ce que la peau des maquereaux soit croustillante et que les citrons verts soient noircis. Retournez les filets et faites cuire encore 1 minute de l'autre côté. Servez avec de la salade de roquette.

Pour du maquereau au poivre noir et au laurier, mélangez 4 feuilles de laurier ciselées, 1 gousse d'ail écrasée, ½ cuillerée à café de poivre noir, 1 pincée de sel et 4 cuillerées à soupe d'huile d'olive. Frottez 4 maquereaux évidés et écaillés avec la marinade, à l'extérieur et à l'intérieur. Placez-les sur un barbecue très chaud et faites cuire 3 à 4 minutes de chaque côté.

sardines et bruschetta à la grecque

Pour **4 personnes**
Préparation **15 minutes**
Cuisson **6 à 8 minutes**

8 **sardines fraîches** vidées et écaillées
2 c. à s. d'**huile d'olive**
4 tranches épaisses de **ciabatta**
1 gousse d'**ail** épluchée
sel et **poivre**

Salade grecque
4 **tomates** coupées en 8 morceaux
½ **concombre** épépiné et coupé en morceaux de 1 cm de côté
10 **olives noires dénoyautées** coupées en deux
200 g de **feta** détaillée en dés de 1 cm de côté
1 c. à s. de **jus de citron**
2 c. à s. d'**huile d'olive**
10 feuilles de **menthe** coupées en fines lanières
poivre

Mélangez tous les ingrédients de la salade grecque et assaisonnez de poivre. Réservez pendant que vous faites cuire les sardines.

Badigeonnez les sardines avec un peu d'huile d'olive et assaisonnez bien de sel et de poivre. Placez-les sur un barbecue chaud et faites-les cuire 3 à 4 minutes de chaque côté, jusqu'à ce qu'elles soient fermes au toucher.

Arrosez les tranches de ciabatta du reste d'huile, faites-les griller sur le barbecue puis frottez les 2 côtés avec la gousse d'ail.

Disposez la salade grecque sur la ciabatta et servez avec les sardines chaudes.

Pour des sardines au citron, à l'ail et au romarin, mélangez 4 cuillerées à soupe d'huile d'olive, le zeste râpé de 1 citron, 1 cuillerée à soupe de romarin ciselé, 2 gousses d'ail émincées, du sel et du poivre. Badigeonnez 8 sardines vidées et écaillées avec un peu de cette huile et faites-les cuire sur un barbecue chaud, 3 minutes de chaque côté, tout en les badigeonnant d'huile. Servez avec une salade verte simple et arrosez d'un filet de jus de citron.

saint-jacques et jambon de Parme

Pour **4 personnes**
Préparation **15 minutes**
Cuisson **4 minutes**

6 tranches de **jambon de Parme**
12 grosses **noix de Saint-Jacques** nettoyées (voir page 12), sans le corail (facultatif)
4 longs brins de **romarin**
1 c. à s. d'**huile d'olive**
salade verte
poivre

Vinaigrette
4 c. à s. de **jus de citron** + un peu pour servir
1 gousse d'**ail** écrasée
1 c. à s. de **vinaigre de vin blanc**
3 c. à s. d'**huile d'olive**
1 c. à c. de **moutarde de Dijon**
sel et **poivre**

Coupez les tranches de jambon de Parme en deux dans le sens de la longueur. Enveloppez chaque noix de Saint-Jacques de ½ tranche.

Enfilez 3 noix de Saint-Jacques sur une brochette en métal, en alternant avec les coraux si vous les avez conservés. Une fois que vous avez percé toutes les noix, enlevez les brochettes et détachez les feuilles des brins de romarin, en en laissant juste quelques-unes à l'extrémité. Enfilez les noix de Saint-Jacques sur les brochettes de romarin.

Assaisonnez les noix de Saint-Jacques de poivre uniquement. Arrosez d'huile d'olive et faites cuire sur un barbecue chaud 2 minutes de chaque côté.

Fouettez les ingrédients de la vinaigrette dans un récipient. Assaisonnez de sel et de poivre à votre goût. Versez la vinaigrette sur la salade, servez avec les noix de Saint-Jacques et arrosez de quelques gouttes de jus de citron.

Pour des brochettes de noix de Saint-Jacques, chorizo et poivron rouge, enfilez des morceaux de chorizo et de poivron rouge ainsi que 2 noix de Saint-Jacques nettoyées sur chaque brochette en bambou, préalablement trempée dans de l'eau. Assaisonnez de sel et de poivre, et placez sur un barbecue chaud pour 5 minutes, en retournant de temps en temps, jusqu'à ce que le chorizo soit cuit.

vivaneau et salsa de mangue

Pour **4 personnes**
Préparation **20 minutes**
+ marinade
Cuisson **8 minutes**

4 **vivaneaux** vidés et écaillés

Pâte de curry
2 c. à s. d'**huile végétale**
2 gros **piments verts**
2 tiges de **citronnelle** grossièrement hachées
2,5 cm de **gingembre frais** épluché et haché
1 gousse d'**ail**
2 **échalotes** épluchées
1 c. à c. de **sucre roux**
le **zeste** râpé de 1 **citron vert**

Salsa
2 **mangues mûres** épluchées et détaillées en dés de 1 cm de côté
1 **piment rouge** épépiné et émincé
½ **oignon rouge** coupé en fines rondelles
3 c. à s. de **jus de citron vert**
2 c. à s. de **coriandre** grossièrement hachée
1 c. à s. d'**huile d'olive**

Mixez jusqu'à homogénéité tous les ingrédients de la pâte de curry dans un petit robot.

Faites 3 incisions dans la peau des vivaneaux, des 2 côtés. Mettez-les dans un plat non métallique et ajoutez la pâte de curry, en en mettant aussi à l'intérieur des poissons. Laissez mariner au réfrigérateur pendant au moins 1 heure, et si possible 3 à 4 heures.

Placez les poissons sur un barbecue moyen-chaud et faites cuire 4 minutes de chaque côté, jusqu'à ce que la chair soit ferme.

Mélangez tous les ingrédients de la salsa et servez avec les poissons chauds dès que vous les retirez du barbecue.

Pour du vivaneau à l'huile de basilic, placez 4 vivaneaux vidés et écaillés, légèrement assaisonnés et arrosés d'un filet d'huile d'olive, sur un barbecue moyen-chaud. Faites cuire 3 minutes de chaque côté, jusqu'à ce que la chair soit ferme. Mettez 1 grosse poignée de basilic, 1 gousse d'ail, 50 g de pignons de pin et 75 ml d'huile d'olive dans un robot et mixez jusqu'à homogénéité. Servez avec le poisson.

queues de homard à l'estragon

Pour **4 personnes**
Préparation **4 minutes**
Cuisson **16 à 21 minutes**

1 c. à c. de **moutarde de Dijon**
2 c. à s. de **vinaigre de vin blanc**
6 c. à s. d'**huile d'olive**
3 c. à s. d'**estragon** ciselé
4 **queues de homard crues**
sel et **poivre**

Fouettez la moutarde, le vinaigre et l'huile d'olive dans un petit récipient. Incorporez l'estragon et assaisonnez de sel et de poivre.

Placez les queues de homard sur un barbecue moyen-chaud, côté chair vers le bas, et faites cuire pendant 6 minutes. Retournez et versez 1 cuillerée à soupe de sauce sur la chair de chaque queue de homard, puis poursuivez la cuisson 10 à 15 minutes, jusqu'à ce que les queues soient cuites. L'idéal est de faire cuire le homard sur un barbecue avec un couvercle.

Servez les queues de homard avec le reste de la sauce.

Pour une sauce salade à servir en accompagnement, mélangez 6 cuillerées à soupe de mayonnaise, 1 cuillerée à soupe de ketchup, ½ cuillerée à café de sauce Worcestershire, quelques gouttes de jus de citron, 1 pincée de poivre de Cayenne, 1 poivron rouge et 1 poivron jaune évidés, épépinés et coupés en petits dés, et 1 cuillerée à soupe de ciboulette ciselée. Assaisonnez de sel et de poivre.